汉竹·亲亲乐读系列

跟金牌月嫂
坐月子

高子云 许岚 主编

汉竹 编著

短信发送 **653653** 至 **15811008811**，
获取宝宝抚触操、产后恢复操视频。

汉竹图书微博
http://weibo.com/2165313492

读者热线
400-010-8811

江苏科学技术出版社 | 凤凰汉竹

只要爱得执着，
每个妈妈都有母乳

　　我是一名专业月嫂，从事月嫂工作已有十余年。在多年的实践中，我深深认识到这样一个道理——只要爱得足够执着，每个妈妈都有母乳，这无关乎你的乳房大小，是顺产还是剖宫产，也无关乎遗传因素，只跟一件事紧密相连，那就是你对宝宝的爱。因为母乳是由爱而生，只要有爱，就能成功实现母乳喂养。

　　我曾服务过这样一个家庭，希望能给广大新妈妈和新爸爸一些启示。美美是一名剖宫产的新妈妈，直到产后第五天拆线后出院回家，美美还没有下奶的迹象。在医院，护士每天都抱着宝宝吸吮美美的乳头，可是宝宝吸几下，就开始哇哇哭，护士就喂宝宝喝一小杯配方奶，并嘱咐美美回家后多让宝宝吸吮，千万不可放弃母乳。可是出院后，奶奶心疼宝宝，坚持不让宝宝吸吮美美的乳房，说怕宝宝吸不出来上火，又担心宝宝吃不饱，影响身体发育，根本不按护士说的给宝宝调制配方奶，每次都冲很多。看着宝宝咕嘟咕嘟地喝着配方奶，美美背过脸偷偷地抹眼泪。我就是此时来到的美美家，了解情况后，我一方面柔声安慰美美，让她重新树立母乳喂养的信心；一方面积极制作适合美美的月子餐，并每天做催乳按摩，坚持让宝宝吸吮美美的乳房……

　　奇迹在第九天出现了。早晨，宝宝吸吮乳头的时候，美美清楚地听到了一声"咕嘟"，紧接着是第二声、第三声，美美简直不敢相信眼前的一幕，赶紧把我叫到床前。果然，宝宝香香地大口大口吃着甜美的乳汁，神情特别专注，连我轻捏他的小脚丫，他都没有停下来。

　　我写下这些是希望每一个新妈妈，特别是那些下奶晚和母乳不足的新妈妈，一定要相信自己是有母乳的，我们肯定能把宝宝养得壮壮的。

　　只要坚持，就一定会有奇迹，这就是妈妈对宝宝最深沉、伟大的爱！

许岚

把新爸爸打造成超级"月嫂"

轻松坐月子，别忘了还有一个关键人物——新爸爸，这可是新妈妈和宝宝最亲密的人，从我服务过的家庭中来看，新爸爸当得越称职、越完美，新妈妈恢复得越快，宝宝也越健康。毕竟，即便是最好的月嫂，也只能短时间内照顾新妈妈和宝宝，而新爸爸，才是那个陪伴母子俩一生的人。所以我在做月嫂期间，都会有意识地培养新爸爸照顾家里一大一小两个宝贝的能力。这样当我离开这个家时，新妈妈和宝宝照样能得到细心、贴心的照料。

虽然新爸爸第一次给宝宝喂奶、洗澡、换尿布时会觉得特别生疏甚至手足无措，真的没有关系，只要多看、多听、多动手，每一个新爸爸都会成为超级"月嫂"。

安安爸爸就是一个比较典型的例子。我从初进这个家时，就觉得这个男主人有点特别。他不上班，整天看我做饭、给宝宝洗澡、抚触，有不懂的地方还一口一个"老师"地向我请教。后来才知道，原来安安爸爸是特意请了一个月假在家专门学习怎么照顾妻子和孩子。这点特别让我感动。

当然，并不是每一个新爸爸都能像安安爸爸这样，有那么多的时间和精力在家伺候"月子"，但这也丝毫影响不了爸爸对妻子和孩子的爱。

我还服务过这样一家人，同样让我敬佩不已。男主人是一家外企的高管，平时工作非常忙，但是不管多忙，回家后第一件事就是来到妻子的床边，关切地询问她跟宝宝一天的情况，有时赶上妻子情绪不好，就耐心地听妻子抱怨，并柔声安慰，还总讲一些开心的事逗妻子笑。一到周末，他就推掉所有应酬，专门在家跟我学习怎么带宝宝，非常谦虚。

可见，只要努力，放正心态，毫无经验的新爸爸也能成为超级"月嫂"，每一个新爸爸都要积极行动起来，用自己的双手为这个可爱的家撑起一片晴朗的天！

高子云

每个宝宝都是降落人间的天使

我曾是一名儿科护士，退休后做起了专业月嫂，同时自己也养育了两个聪明、健康的孩子。从我跟宝宝打交道的几十年中，我始终相信这样一个道理：每个宝宝都是降落人间的天使，真诚耐心地对待他们，把自己的快乐传递给他们，他们回报给你的会很多很多。

有些新妈妈和月嫂总是抱怨宝宝不好带。其实，宝宝是最懂得感恩的，只要你用心呵护他们，他们就会感谢你的付出，并用实际行动表示出来。

米苏是一位时尚的 80 后新妈妈，本想自己带宝宝的她只带了一个星期，就带不下去了，说宝宝太闹人，总是哭。我来到米苏家时，正赶上宝宝哭闹，小脸憋得紫红紫红的，一看就是哭的时间长了，米苏在一旁急得手足无措。我脱下外衣，把手洗净，满面笑容地俯身来到宝宝身边，宝宝看见我，停顿了几秒钟，接着又哭起来。我摸摸宝宝的小手，温柔地对他说："宝宝，怎么啦，哪里不舒服了，让奶奶看看。"可能从没有人对他这样说过话，小家伙好奇地盯着我，停

止了哭闹，我一边跟他咿咿呀呀地说话，一边摸了摸宝宝的小脑门，还好，不是发烧。我解开宝宝的纸尿裤，原来是拉臭臭了，怪不得宝宝不舒服呢。我赶紧给宝宝换掉纸尿裤，并用清水冲洗宝宝的小屁屁，再换上干净的纸尿裤，整个过程中，我一直没有停止用温柔的语调给宝宝说话。小家伙似乎听懂了似的，安静地由我摆弄，非常配合。一直到月子结束，我都从没觉得宝宝哪点难带。

合同即将到期，米苏拉着我的手不好意思地说："谢谢您这么用心地照顾宝宝，之前我总想着生完

宝宝了要赶紧回到怀孕前的生活，总是忙着瘦身、美容，忽略了对宝宝的照料。"原来问题在这里。

其实，宝宝很有"心计"，你对他好，他就会感谢并心疼你，好吃、好喝、好玩、好睡。反之，你疏于对他的呵护，他就会用哭闹来表示不满，让你苦恼不已。所以，用心对待宝宝，让宝宝每天在妈妈阳光般的笑容里，快乐、幸福地成长！

李桂英

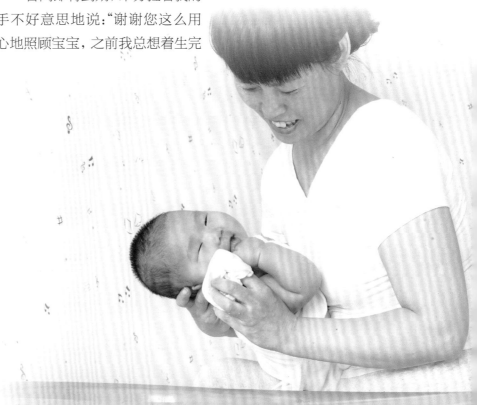

目录

如何挑选一名好月嫂

科学坐月子

月子里的日常护理

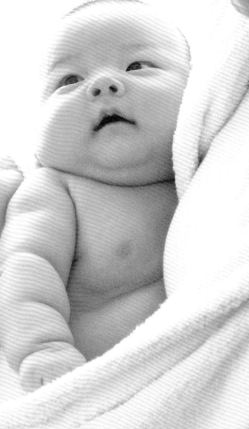

科学育儿

了解你的宝宝

新生儿的喂养

新生儿的护理

常见异常的症状与应对

新生儿的启蒙训练

如何挑选一名好月嫂

月嫂经过专业培训，较之于普通保姆，有更科学的照顾月子的经验。月嫂在一个家庭中的作用就是照顾新生儿及新妈妈。这两个人都需要很好的照顾，所以挑选月嫂时除了专业技能之外，还必须要求月嫂有足够的耐心和爱心。

请月嫂的好处

如今，越来越多的新手父母都想在坐月子期间请个月嫂帮忙照顾新妈妈和宝宝。可是，家里的老人大部分都会表示反对，一来觉得自己有能力和精力伺候好月子，没必要花那个冤枉钱；二来觉得把宝宝交给外人照顾，总是很不放心。其实不然，请一个好的月嫂对新妈妈、对宝宝甚至对整个家庭都有很多好处。

更好地照顾新妈妈和宝宝

好的月嫂除了具备专业的护理知识外，最重要的是有多年的月嫂工作经验，护理过各种不同的新妈妈和宝宝，积累了丰富的第一手经验，这是家里的老人无法相比的。就拿剖宫产新妈妈来说，我们都知道剖宫产新妈妈和顺产新妈妈在饮食、生活等方面都是有很大差别的，但是老人对这些知之甚少，如果一味按过去顺产妈妈的方法照顾，显然不合时宜。

更好地学习育儿知识

请一个月嫂，不但能减轻全家人的负担，还能在用月嫂的过程中学会不少伺候月子和照顾宝宝的很多知识。虽然有些妈妈也会买一些育儿书或者上网搜一些育儿知识，但是远不如月嫂的亲身实践来得真切。月嫂护理宝宝脐带、给宝宝洗澡或做抚触时，相信新妈妈看过一两次，很快就能学会了。

更好地解决产后抑郁

由于 80 后、90 后新妈妈信奉科学、现代的坐月子观，与老人传统的观念很不一致，矛盾由此产生。还有些新妈妈什么都想给宝宝最好的，发现自己给不了，就很郁闷。专家发现，疏导产后抑郁的工作由新妈妈的家人来做，往往是不奏效的；而由月嫂来做，效果就会好很多。这是因为月嫂一般会兼顾老辈人的观念和新妈妈的身心需求，提出一个折中的坐月子方案，让新妈妈身心愉悦。

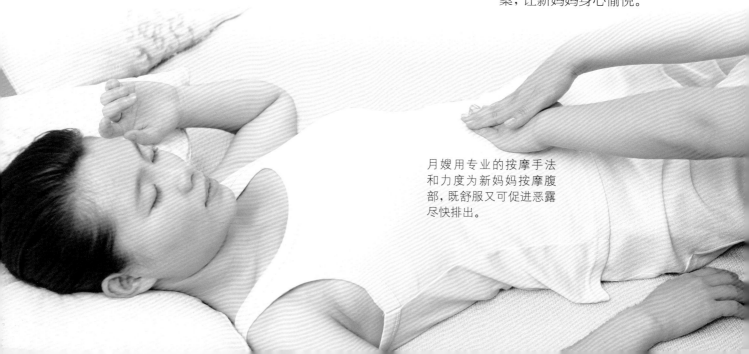

月嫂用专业的按摩手法和力度为新妈妈按摩腹部，既舒服又可促进恶露尽快排出。

了解月嫂的职责范围

月嫂不同于普通的保姆，不能按照普通保姆的职责来给月嫂划定工作范围。有些家庭觉得月嫂除了照顾新妈妈和宝宝外，一刻也不能闲着，其实这是得不偿失的。一个人的精力毕竟有限，如果月嫂过多地参与一般的家务，势必会在护理新妈妈和宝宝这方面大打折扣。

一般来说，月嫂的职责范围主要包括新生儿护理和新妈妈护理，如果和月嫂有特别规定，也可以兼顾一些其他工作。下面我们给新妈妈和新爸爸列举一些月嫂的日常工作内容，可以当做参考，但最好还是一开始就和月嫂或者月嫂公司详细地界定出职责。

新生儿护理

指导新妈妈正确哺乳，保证宝宝健康的营养需要；

对宝宝溢奶、呛咳进行处理；

定期为宝宝洗澡、按摩、抚触，促进宝宝健康发育；

及时为宝宝换洗衣物、尿片；

定期对宝宝的尿布、毛巾、奶瓶等生活用品进行清洗、消毒；

特别要做好新生儿脐部、臀部护理，保持干爽；

安抚哭闹宝宝，呵护入眠；

细心观察宝宝，一旦出现鹅口疮、黄疸、大小便异常等状况要及时处理，情况严重时要陪同家人一起去医院；

帮助新妈妈为宝宝做婴儿抚触操、准备玩具，锻炼宝宝的运动能力和早期智力开发。

新妈妈护理

合理安排并准备月子餐，促进产后康复及乳汁分泌；

大力提倡新妈妈坚持母乳喂养，并进行科学喂养指导；

帮助新妈妈建立良好的个人卫生习惯，并配合做好会阴冲洗及伤口护理，防止感染；

随时对新妈妈的身体恢复状况进行观察，提醒新妈妈在坐月子期间应注意的各种事项，避免落下月子病；

打扫新妈妈房间，保持室内空气清新，确保良好的居室环境。

其他工作

在和月嫂沟通好的前提下，也可以做一些其他的工作，比如说做全家的饭菜等。有一点需要特别提醒新妈妈和新爸爸的是，对于晚上月嫂要不要跟宝宝一起睡的问题，一定要提前考虑，并跟月嫂讲明。

月嫂准备月子餐时最好要适当兼顾新妈妈口味与营养的双重原则。

怎样判断月嫂机构的资质

一般情况下，新妈妈和新爸爸请月嫂，需要通过月嫂中心和相关机构来进行，也有一些月嫂是经亲友或熟人介绍，但是这种情况一旦产生纠纷，雇主会显得比较被动，还是在正规、可靠的月嫂机构里签订合同，界定好双方责任更有保障。

现在，越来越多的月嫂机构、月嫂中心应运而生，每一个都标榜自己的专业，让新爸爸和新妈妈无所适从。其实，只要我们擦亮眼睛，按照下面几条逐项对照着检查，就会做出正确的判断。

验证月嫂机构的营业资格

没有营业资格的机构再怎么推销自己的服务，都不要轻信。另外，还要验证月嫂的从业资格。大部分月嫂持有的只是母婴护理的培训证书，这些证书的颁发单位多如牛毛，但只是培训证明，并非资格证明。在所有的职业资格证书中，和月嫂工作内容密切相关的，仅是育婴师证和家政服务员证。

评估月嫂机构的规模和实力

实力强、规模大的月嫂机构一般都会有一批相对固定的月嫂，从初级、中级、高级到金牌月嫂，便于我们根据自己的需要来选择。而且即便预定的月嫂临时来不了也能在最快的时间由月嫂机构调度其他的月嫂代替。

是否签订有法律效力的合同

正规月嫂机构都会跟雇主签订正式书面合同，而一些小的或者不太正规的月嫂公司要么不签订合同，要么签订的合同言辞模糊。其实，签订合同时就要写清服务的具体内容、收费标准、违约或者事故责任等。这对雇主和月嫂机构来说，是一个双向的制约，可以减少很多矛盾的发生。

是否有严格的审查程序

正规月嫂机构一般都会有一套严格的审查程序，每一位月嫂都有自己的档案，其中包括身份证、卫生证、从业经验、上岗资格证、照片、体检证明等证件。

是否有良好的口碑

新妈妈和新爸爸可以通过网络资源或者其他渠道了解月嫂机构的口碑和服务满意程度，来判断其专业程度。一般来说，口碑较好的月嫂机构实力较强、服务更规范、细致。

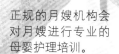

正规的月嫂机构会对月嫂进行专业的母婴护理培训。

关于月嫂的相关法规

一个好月嫂对新生儿和新妈妈来说非常重要，所以有新生儿的家庭，最好要了解一些关于月嫂的相关法规，可以帮助我们擦亮眼睛，选择一名优秀的月嫂，让新妈妈和新生儿得到悉心、专业的照料。

由于月嫂对新妈妈和新生儿提供服务，所以她们的身体情况是第一位的，月嫂入户服务，需提前出示卫生证。

月嫂的卫生证可以分成表格和证件两种，一般来说，前者就是个人身体状况检查的各项结果；后者是相应机关给出的上岗证明，里面会对检测医院和项目做出明确的规定。

另外，一些月嫂机构和家政公司片面夸大月嫂服务的专业性，进行过度宣传，有些星级月嫂在母婴护理方面其实并不够专业，即使是培训过的月嫂，大多数也都是由家政公司自己培训的。这些经过培训的月嫂手里的证书更是五花八门，比如：金牌月嫂证、母婴护理师证、催乳师证等，让新爸爸和新妈妈无从分辨。

其实，劳动保障部门从未专门进行月嫂以及高级月嫂的职业资格认定，而是将其划入家政服务员行列。

国家劳动部门职业资格认定共分5等，分别是初级工、中级工、高级工、技师、高级技师。

国家制证中心明文规定，目前的育婴方面证书只颁发了3级（高级育婴师）、4级（育婴师）和5级（育婴员）。

可见，国家并没有规定月嫂的级别，那些星级月嫂和金牌月嫂是怎么来的呢？一般来说，正规的月嫂机构会根据月嫂的工作年限、服务对象的人数、客户的满意度来对月嫂做出正确、客观的评判，从而确定月嫂的级别，分为初级、中级、高级、特级、金牌等级别。一般从事月嫂行业十年以上、经验丰富、拥有育婴师等专业证书的才可以成为金牌月嫂。

除查看月嫂的上岗证明，月嫂的获奖证书也是新妈妈衡量的一个重要标准。

怎样面试月嫂

月嫂是个熟练工种，只有照看了35个以上的新妈妈，才基本能让雇主放心，但我们普遍缺乏考察月嫂经验的能力。所以在面试月嫂时，除了检查她的身份证、健康证、育婴师证之外，最重要的还是问一些母婴护理的专业问题，以此来考察月嫂的资历。

介绍一下一天的工作

这个问题没有固定的答案，我们可以通过月嫂的回答判定她的工作资历。如果月嫂的回答井井有条，证明她有一定的工作经验。同时，我们也可以用这个问题和月嫂沟通一下工作范围和职责的事宜。

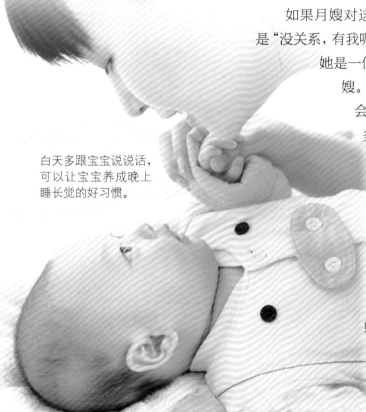

白天多跟宝宝说说话，可以让宝宝养成晚上睡长觉的好习惯。

新妈妈护理应注意什么，顺产和剖宫产的护理有什么不一样

这些问题也没有标准答案，主要是多观察月嫂，看看她是能正面回答，还是顾左右而言他。有经验的专业月嫂会逐项讲得很详细、具体，那些支支吾吾的月嫂明显经验不足。

宝宝晚上闹人怎么办

如果月嫂对这个问题的答案是"没关系，有我呢"，这只能说明她是一位经验不足的月嫂。有经验的月嫂会告诉你，白天多和宝宝玩，跟宝宝说话，夜间喂奶的时候不开大灯，不跟宝宝说话。这样大部分宝宝很快就可以养成规律睡眠的好习惯。

宝宝一天洗几次澡，脐带没脱落是否能洗澡

新生儿可以每天都洗澡，如果天气寒冷，两三天一次也可以，这个问题比较好回答，关键是后面的问题。脐带没有掉也可以洗澡，只是尽量避开肚脐的位置，之后还要给肚脐消毒。看看月嫂是不是知道要用75%的酒精给脐带消毒，这个问题要是答得不好，说明这个月嫂很不专业。

您一般推荐什么牌子的洗浴用品，为什么

这个问题没有标准答案，但从这个问题可以看出月嫂对婴儿用品的熟悉程度。有经验的月嫂对各个婴儿用品品牌和使用效果都很了解，对价格也大多比较敏感和熟悉。而且相当一部分月嫂都有自己习惯用的品牌，但牌子不重要，重要的是问问她们推荐的理由。

您带的宝宝是母乳喂养的多还是吃奶粉的多

如果面前的月嫂告诉你她带的宝宝大部分都是母乳喂养，并且有帮助新妈妈下奶的经验，还语重心长地告诉你母乳对宝宝是多么重要，这会是一名优秀的月嫂。因为现在很多月嫂贪图省事，不愿意帮助新妈妈催奶，而且吃母乳的宝宝不易与月嫂建立感情，不好带，这些不合格的月嫂大多会建议新妈妈采取混合喂养或者干脆人工喂养的方式。

宝宝总要人抱怎么办

如果面前的月嫂告诉你"不要总抱宝宝，即便哭了也不要抱，否则会惯坏他"等类似的话，说明这名月嫂没有经过正规培训，或者缺乏责任感和爱心。经过正规培训的月嫂都知道，婴儿是非常需要关爱的，对婴儿情感上的需求要无条件满足。总是哭了不理，婴儿会对大人产生不信任感，也会增加恐惧。经常被抱、被陪伴的婴儿智力和身体发育都要好于缺少爱抚和照顾的婴儿。

当然，不管提什么样的问题，都是理论上的，新妈妈和新爸爸可以在面试月嫂的时候让她亲自抱抱宝宝，看看她是否注意抱前洗手、抱宝宝的姿势是否正确等细节，以此来考察月嫂的实际操作能力。

宝宝最喜欢倾听妈妈的心跳，将宝宝的头贴在胸怀，他会感到安全和温暖。

选择月嫂的注意事项

一名月嫂选择得好与不好，直接关系到宝宝和新妈妈的身心健康，因此月嫂应当具备的条件十分重要。总的来讲，月嫂必须身体健康，要有爱心、耐心，有产后护理技能和带宝宝的经验，同时还要有一定的知识水平和接受新知识的能力。

现今为了母子健康，让新妈妈坐月子更舒心，很多家庭选择请月嫂。一个好的月嫂集保姆、护士、厨师、育婴师的工作性质于一身，能照顾好新妈妈和宝宝，还能给家人带来温馨与和谐。月嫂来到家里，她要肩负着一个新生命与一位母亲安全健康的重任，因此月嫂对于一个家庭来说，是非常重要的，想要请好月嫂也要做好充分的准备，请月嫂的注意事项一般有以下几方面。

选择正规家政公司，验看证件

选择家政中心要验看其营业资格，并保证其人员的从业资格。签订合同要写清服务的具体内容、收费标准、违约或者事故责任等。付费时索要正式发票。

月嫂必须身体健康

健康状况良好才能做一个称职的月嫂。如果月嫂携带某些病菌，在护理宝宝时，甚至是给宝宝喂食，都很有可能把自身携带的病菌传染给体质较弱的宝宝和刚经历分娩身体未完全恢复的新妈妈。正规的月嫂一般须进行一个全面的身体检查，包括乙肝两对半、肝功能、胸部 X 检查、妇科检查等体检项目，合格者才有资格做月嫂。

不要忽视面试的环节

不管是熟人介绍，还是在月嫂机构请的金牌月嫂，签合同之前一定要对月嫂进行面试。只有通过面试才能知道这个月嫂是否专业，是否有经验。而且通过与月嫂面对面的沟通和交流，还能了解月嫂的为人和性格。

要签合同

请月嫂时，要先预定月嫂，再签订合同。不可贪图便宜，与月嫂私下签订合同，否则在月嫂服务过程中出现纠纷，新妈妈有理也说不清。

除专业知识外，月嫂积极乐观的性格也是新妈妈考察的要素，可通过简单的闲聊来衡量。

与月嫂和睦相处

月嫂选择好之后，要以签合同的方式明确双方的责任和权利，同时在月嫂请进来之后，新妈妈也应积极配合月嫂，并彼此信任，尊重月嫂的人格和劳动，这样新妈妈才能坐个舒服的月子。

月嫂、新妈妈、宝宝是三位一体的，哪一个环节出了问题都很麻烦。一般我们只认为新妈妈和宝宝需要特殊照顾和护理，其实，月嫂也需要关心。有些家庭觉得既然花了钱，月嫂辛苦一些也无妨，甚至有的家庭把月嫂的工作全部量化，一刻也不让月嫂休息。这显然是不可取的，既然选择了月嫂，就应该给予月嫂必要的尊重，和月嫂和睦相处，坐一个舒舒服服的月子。

认同

对于是否要请月嫂的问题，家人的观念在请月嫂之前就要统一。既然选择了月嫂，就应在品德和技能上信任她，并给予工作上的支持和配合，不要因为其他人的指指点点，就动摇了对月嫂的信心。

尊重

新妈妈或家人千万不要以为自己花了钱，就不注意对月嫂人格的尊重。月嫂不是工作机器，应给予足够的休息。另外，还要尊重她们的隐私，不能刁难、辱骂月嫂。

包容

不同地方的人在生活和饮食习惯上都会有所差别，月嫂和新妈妈的关系也需要经过一段时间的适应和磨合，这时候就需要新妈妈有一颗包容的心，不要过于吹毛求疵，月嫂工作舒心，受益的其实是新妈妈和宝宝。

沟通

在月子期间，新妈妈心情不好时要与月嫂及时沟通，直接告诉月嫂你的喜好或建议，不要碍于面子，这样问题更容易解决。

其实，和月嫂和睦相处有一个最简单易行的办法，就是把月嫂当做家人对待，这样才能真正做到将心比心。试想如果自己的妈妈或婆婆伺候你坐月子，看到她们一天到晚忙个不停，一定会非常心疼，担心她们身体吃不消。月嫂也如此，如果月嫂得不到适当的休息，特长不能很好地发挥，最后耽误的还是新妈妈和宝宝。

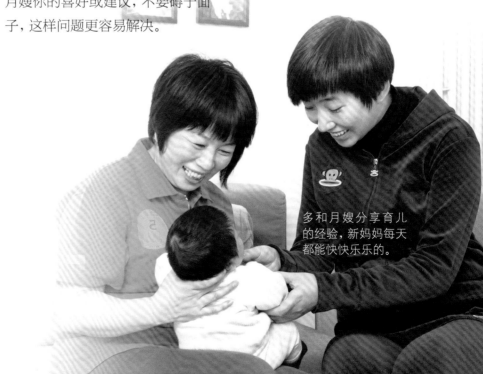

多和月嫂分享育儿的经验，新妈妈每天都能快快乐乐的。

如何应对月嫂工作中的问题

每个家庭请月嫂的时候都对月嫂有着很高的期待，一旦月嫂达不到要求，新妈妈和家人必然会不满。可是，如果中途换月嫂，又对新妈妈和宝宝的状况不了解，导致新妈妈和家人的情绪波动，甚至使新妈妈奶水骤减。由此可见，遇到问题，心平气和地与月嫂沟通，争取月嫂的配合，要好过于频繁换月嫂。

月嫂不肯做家务

月嫂的基本职责是照顾新妈妈和宝宝，但有些家庭会觉得家里的一些杂活也是月嫂分内的工作。但如果把月嫂当保姆用，让月嫂替全家做饭洗衣，这其实就分散了月嫂的精力，反而影响对新妈妈和新生儿的护理工作。另外，还有些月嫂不肯洗新妈妈的内裤和袜子，这是因为有的月嫂公司有规定，怕月嫂手上带了细菌，对宝宝不利。因此，在雇请月嫂时，最好与月嫂公司签订合同，把月嫂职责范围的事一项项写下来加以确认。这样，雇主不会觉得月嫂"偷懒"，月嫂也不会觉得雇主"老提过分要求"。

月嫂半夜醒不了

即便是承诺晚上带宝宝的"高薪月嫂"，也不可能24小时工作，新妈妈和家人可以在晚上18点到23点之间接手月嫂的工作，让月嫂在这段时间适当休息，这样月嫂在半夜也更有精神和体力照顾宝宝。如果月嫂过于劳累，晚上带宝宝时就不容易醒，如果宝宝饿了或者不舒服，月嫂很可能照顾不周，反而不利于宝宝的健康成长。

月嫂留指甲戴耳环

合理的要求是可以当面跟月嫂提的。比如要求月嫂讲究个人卫生，剪指甲；不戴任何首饰，以免划伤宝宝；不用宝宝和新妈妈的餐具和水杯；不随便索要不合理的费用和物品等。如果月嫂对你的合理建议不予采纳，可以通过月嫂公司进行沟通和调解。

月嫂整天板着脸

现在越来越多的家庭关注到月嫂对优化新妈妈情绪、缓释家庭焦虑状态的作用。因为很多新妈妈会出现产后抑郁的情绪，如果面对的月嫂不爱笑，整天板着脸，非常不利于新妈妈的情绪恢复和调节。可以与月嫂沟通，想方设法使之变得开朗而不拘谨。最好是面试月嫂时，就对其脾气性格有所了解。

月嫂要不要做家务，需事先和月嫂沟通并写在合同里。

月嫂在护理宝宝的时候，新妈妈如果觉得哪里有不妥可以委婉地提出来。

月嫂喜欢给宝宝喂配方奶

有的新妈妈明明有母乳，可是月嫂却以新妈妈母乳少或者质量不好等种种理由和借口，不希望宝宝吃母乳，而是喜欢让宝宝喝配方奶。原因其实很简单，定时喝配方奶省却了月嫂的许多工作，比如不用想方设法做精美的月子餐帮助新妈妈下奶，宝宝也容易与月嫂建立感情。出现这种情况，新妈妈一定要和月嫂沟通，自己亲自哺乳，并要求月嫂按时、按质、按量做月子餐，并提供催乳按摩服务。

喂宝宝奶时呛到了还继续喂

喂宝宝奶或水时如果呛到了就马上让月嫂停止，并告诉她如果以后发生这种情况应该怎么办等。其实，月嫂哪里做得不好、不满意就一定要当面提出来，给她指正，这是正常且合理的要求，一般月嫂都会接受。千万不要自己生闷气，这样既对月嫂起不到任何作用，而且还会影响自己的身体和心情。

月嫂明显言行不一

有的月嫂在面试回答问题时，说得头头是道，可是真把月嫂请来了，却发现她的经验和技能只是停留在理论层面上，实战能力还不如普通保姆，这样的月嫂新妈妈和新爸爸一定不要碍于面子，尽快跟月嫂公司联系调换新的月嫂。如果新妈妈和新爸爸始终对换月嫂犹豫不决，深受其害的还是新妈妈和小宝宝。

月嫂不肯做月子餐

合理安排月子餐是月嫂的一项重要工作内容，一般雇主和月嫂在合同里都会有明确规定。但是实际情况却是有的月嫂拒绝给新妈妈做月子餐，她们会以带宝宝没时间为理由推脱。此时，新爸爸或者其他家人要接过宝宝，让月嫂腾出时间做月子餐。如果月嫂还是不想做，就可以到月嫂公司进行投诉，或者申请换新的月嫂。

月子餐不合新妈妈胃口

有的月嫂准备的月子餐很不合新妈妈胃口，令新妈妈一点食欲都没有。新妈妈营养摄入不充分，母乳质量就会受影响。出现这种情况，家人先不要责怪月嫂，要视情况对待。一种情况是月嫂十分尽力地按照培训课程或者专业营养书上的指导准备的月子餐，但由于产后新妈妈不适宜多吃盐、味精、姜、花椒等调料，月子餐会清淡一些，口味重的新妈妈自然不喜吃。这时，新爸爸和家人一方面要劝慰新妈妈适时改变一下口味，一方面要对月嫂的工作给予肯定和鼓励。

另一种情况是月嫂做月子餐时敷衍了事，很少变换花样，甚至早晨故意做很多，让新妈妈吃一天。此时，新妈妈就要及时和月嫂进行沟通，或者提前告诉月嫂自己想吃什么，让月嫂准备。

天天让新妈妈喝小米粥、吃鸡蛋

家里的老人信奉坐月子就吃小米粥、鸡蛋的传统，这正中一些没有责任感的月嫂的下怀，于是天天让新妈妈喝小米粥、吃鸡蛋。虽说新妈妈适当摄入小米粥和鸡蛋对身体很有好处，但是天天吃，不仅会影响其他营养的补充，还会降低新妈妈的食欲，从而影响母乳质量和新妈妈的身体恢复。新妈妈可以当面向月嫂指出，不想再喝小米粥和吃鸡蛋了，希望月嫂能够做些其他精美的月子餐。新妈妈要注意语气要恳切、委婉，相信月嫂会意识到自己工作的失误，欣然应允的。

有的新妈妈不喜欢吃猪蹄，月嫂可换鲫鱼、鸡肉等其他催乳食材给新妈妈吃。

月嫂白天也让宝宝穿纸尿裤

要不要给宝宝穿纸尿裤，一直没有定论，一般家庭都是采用白天用尿布，晚上用纸尿裤的模式。不过也有专家指出，为了保证新生儿白天的睡眠质量，也可用纸尿裤，但是必须勤换。所以关于白天给宝宝穿纸尿裤还是用尿布的问题，最好是由新妈妈决定，月嫂执行，问题很容易就可以解决。

月嫂不愿给宝宝洗澡和做抚触

有些月嫂觉得给宝宝天天洗澡、做抚触很麻烦，而且稍不注意就可能引发宝宝感冒、腹泻等症，所以很少给宝宝洗澡，甚至一个月内只给宝宝洗一两次澡。其实，洗澡不但能清洁宝宝的皮肤，加速血液循环，促进生长发育，还能提高宝宝的抗病能力和智力发育。所以，要坚持给宝宝洗澡，让他从小养成爱洗澡的好习惯。一般来说，夏季可以天天洗，冬季可四五天洗一次。新妈妈或新爸爸可以与月嫂一起给宝宝洗澡，既减轻月嫂的工作量，也能学习怎样给宝宝洗澡，还能增加亲子依恋。

很少让新妈妈和宝宝接触

有的月嫂怕宝宝跟妈妈接触时间长，自己不好带，也有的月嫂担心新妈妈的身体恢复不全，就很少让新妈妈和宝宝接触，这是不正确的。新妈妈和宝宝的亲密接触可以让新妈妈心情舒畅，尽快进入到母亲的角色中，对宝宝来说，妈妈温柔的眼神和温暖的怀抱最能令宝宝感到安全、舒适。

遇到不良月嫂

不良月嫂是指那些毫无爱心和责任心，会对宝宝产生蓄意伤害的月嫂，虽然这种情况极少发生，但并不能完全排除。一旦遇到不良月嫂，要马上联系月嫂所在的公司，要求更换或者退单。如果对雇主造成损失，及时和月嫂公司联系协商后续处理。事态比较严重，可以通过法律途径同时追究月嫂公司和月嫂本人的相应责任。

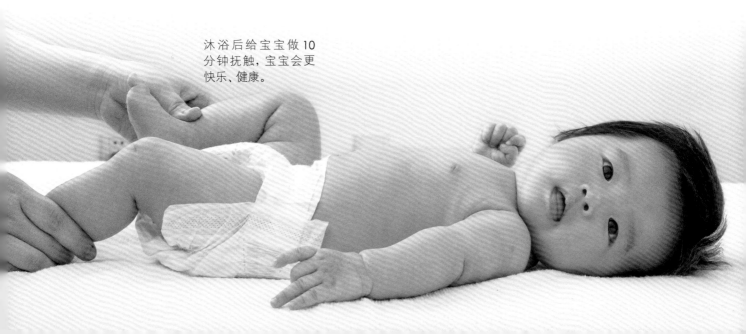

沐浴后给宝宝做10分钟抚触，宝宝会更快乐、健康。

科学坐月子

　　"一朝分娩"让新妈妈"几度欢喜几度忧"。喜的是小宝宝的降临给整个家庭带来了无尽的欢乐和希望，忧的是怕月子坐不好，落下病根。新妈妈别担心，跟着金牌月嫂，轻松坐月子！

月子里的日常护理

月子里的日常护理对于产后的新妈妈来说很关键，因为这关系着新妈妈后半辈子的健康和幸福。下面就请新妈妈跟着金牌月嫂，坐一个轻松、健康的月子吧！

顺利分娩

宝宝就要降临了，全家都在惴惴不安地等待着，孕妈妈此时需要做的就是尽量休息、保持体力，以迎接即将到来的艰苦而又伟大的分娩时刻。准爸爸也要做好最后的准备工作，再次确认待产包、去医院的路线等事宜。

确认待产包是否齐全

很多孕妈妈都会在预产期之前分娩，所以分娩所需物品，孕晚期就要准备好，并放在家人都知道的地方。这些东西包括以下三类：

❶ 各种证件：户口本或身份证（夫妻双方）、医疗保险卡或生育保险卡、相关病历。

新生儿衣物尽量选择纯棉、颜色浅的。

❷ 宝宝用品：奶粉、奶瓶、内衣、外套、尿布、小毛巾、围嘴、小被子、宝宝香皂、爽身粉等。

❸ 孕妈妈入院时的用品：面盆、脚盆、牙膏、牙刷、大小毛巾、产妇专用卫生巾、卫生纸、内衣、内裤等。

适宜去医院的情况

很多孕妈妈由于过分担心，只要一出现不适就马上去医院，劳力又劳心。其实，孕妈妈在出现以下征兆后再入院比较合适。

❶ 子宫收缩增强。当宫缩间歇由时间较长，转入逐渐缩短，而宫缩持续时间逐渐增长且强度不断增加时，应赶紧入院。

❷ 尿频。孕妈妈本来就比正常人的小便次数多，间隔时间短，但在临产前会突然感觉到离不开厕所，

这说明宝宝头部已经入盆，即将临产了，应立即入院。

❸ 见红。分娩前 24 小时内，50%的孕妈妈常有一些带血的黏液性分泌物从阴道排出，称"见红"，这是分娩即将开始的一个可靠征兆，应立即入院。

提前选好去医院的路线

应提前选好去医院的路线及要乘坐的交通工具，最好预先演练一下去医院的路程和时间。考虑到孕妈妈临产可能会在任何时间，包括上下班高峰期，所以最好寻找一条备用路线，以便当首选路线堵车时能有另外一条路线供选择，尽快到达医院。

优先选择自然分娩

自然分娩不管是对宝宝还是妈妈，都是最适合、最好的一种生产方式。对新妈妈来说，恢复快，生完当天就可以下床走动了，一般3~5天就可以出院，而且生产完就可以母乳喂养。对宝宝来说，经过产道的挤压，肺功能得到很好的锻炼，皮肤神经末梢经刺激得到按摩，其神经系统、感觉系统发育较好，整个身体协调功能的发展也会比较好。

分娩前保证充足的休息

与其在忐忑和焦虑中等待分娩的到来，孕妈妈不如在分娩前做些身体准备。

❶ 保持充足的睡眠，以保证分娩时体力充沛。

❷ 临近预产期的孕妈妈应尽量不要外出或旅行，但也不要整天卧床休息，轻微的、力所能及的运动还是有好处的。

❸ 保持身体的清洁。由于孕妈妈产后不能马上洗澡，因此，住院之前应洗一次澡，以保持身体的清洁。如果是到公共浴室去，必须有家人陪伴，以免发生意外。

顺产前要吃饱喝足

分娩是一项体力活儿，准备自然分娩的孕妈妈一定让自己吃饱吃好，为分娩准备足够的能量。可准备一些易消化吸收、少渣、可口味鲜的食物，如面条鸡蛋汤、面条排骨汤、牛奶、酸奶、巧克力等食物，同时注意补充水分。相反，如果吃不好睡不好，紧张焦虑，容易导致疲劳，将可能引起宫缩乏力、难产、产后出血等危险情况。

剖宫产前一天禁食

如果孕妈妈是有计划实施剖宫产，手术前要做一系列检查，以确定自己和胎宝宝的健康状况。手术前一天，晚餐要清淡，晚上12点以后不要吃东西，以保证肠道清洁，减少术中感染。手术前6~8小时不要喝水，以免麻醉后呕吐，引起误吸。

金牌月嫂的月子经

有的孕妈妈只是因为害怕自然分娩的疼痛而采取剖宫产，这是不正确的。剖宫产新妈妈虽然手术时不觉得疼痛，但是手术后刀口的疼痛、下奶晚以及坐月子期间的种种不适，很是影响新妈妈的身心健康。

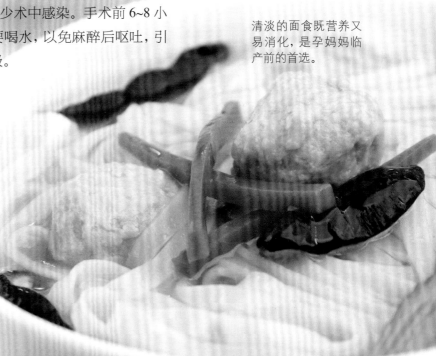

清淡的面食既营养又易消化，是孕妈妈临产前的首选。

分娩三个产程如何用力

孕妈妈学习一下在分娩中如何用力，会起到事半功倍的作用。不然，如果用力不当，不仅消耗体力影响产程，也容易让自己和宝宝受伤。

第一产程

第一产程持续时间最长，一般为2~9个小时。其主要任务就是宫口开全，直至扩张到可以让胎宝宝的头通过阴道。宫缩间隔时间会越来越短，持续时间越来越长，强度也随之增加。

应对方法：

❶ 在每两次宫缩之间休息，保持体力。

❷ 随着宫缩吸气和呼气。宫缩一开始就深呼吸一口气，缓慢有节奏地从鼻子吸气，然后从嘴巴吐出。宫缩结束时，再次深呼吸，释放全身的紧张。

❸ 不断变换姿势，只要你能感觉到舒服就可以。

❹ 定时去排尿，别让尿液储存在你的膀胱里。

第二产程

宫口开全意味着进入第二产程，当子宫颈全开，宝宝的头就会开始下降进入产道了，这时会让你产生用力的冲动，你可以根据自己身体的感觉来用力，也可以在医生的指挥下用力。而胎儿娩出则意味着第二产程的结束。

应对方法：

❶ 最好遵从自己身体的本能，短暂、多次用力，可节省体力，也比较有效。一般五六秒用力一次，每次宫缩用力三四次，在连续地使尽力气用力推出之后，把肺里的空气全部吐出来，接着再及时吸气，准备下一次用力。

❷ 在两次用力之间充分休息，还可吃点易消化的食物，或者听听熟悉的音乐，尽可能使身体放松。

第三产程

看到宝宝娩出，你可能就兴奋得顾不得其他的事情了。但是别忘了只有第三产程娩出胎盘，整个分娩才会随之结束。这个过程可能需要5~30分钟。

应对方法：

在收缩娩出胎盘的时候，你会感觉到像抽筋一样，这比起先前的疼痛简直是不足一提。子宫会继续收缩，让宝宝吸吮你的乳头，这种刺激也会帮助子宫快速收缩。

进产房时就要带上几块巧克力。

金牌月嫂的月子经

虽然现在很多医院允许准爸爸进产房陪产，但是如果自己没有胆量，也不要因为不敢进产房而感到内疚和不安。如果在分娩中自己先倒下来，给医生添乱，这才是最大的遗憾。

准爸爸全力支持孕妈妈分娩

孕妈妈入院之后，准爸爸最重要的任务就是"全力支持孕妈妈分娩"，以减轻孕妈妈疼痛。

待产期间做好服务

准备可口的食物。孕妈妈阵痛尚未达到高峰时，准爸爸可以准备三餐，让孕妈妈有足够的体力面对生产。

协助如厕。孕妈妈在待产的过程中，会因为阵痛而使如厕变得困难，准爸爸可以陪同孕妈妈如厕，减轻孕妈妈的困难。

为孕妈妈减轻腰部疼痛。准爸爸可以握拳，以手指背面轻压孕妈妈的腰背部，可有效舒缓疼痛感。

引导妻子呼吸

如果准爸爸准备一直陪伴在产床旁边，面对分娩只需要掌握一种技能——引导妻子控制呼吸。准爸爸要适时地引导她慢慢地、深深地呼吸。

鼓励与赞美

鼓励孕妈妈表现出色，表现出对她能顺产的信心，而且要一再表白对她的感情和感激之情。

制造轻松气氛

为鼓励孕妈妈挺住，在阵痛间隙，可以和她一起畅想即将诞生的宝宝的模样，将来怎样培养他，调侃宝宝会像彼此的缺点，会如何调皮，如何可爱等，要竭尽全力制造轻松气氛。

安排好月子期间谁来照顾母婴

在宝宝出生前就开个家庭会议，把宝宝出生后照顾的工作分一下，让所有家庭成员都明确自己的分工与责任，尽力为新生宝宝创造一个和谐的家庭环境。

首先，月子在哪里坐，宝宝晚上跟谁睡，月子中的三餐谁来做，宝宝的尿布谁来洗等无数细小的问题，都要去解决，以免宝宝出生后新爸爸、新妈妈手忙脚乱。是请老人帮忙，还是请专业月嫂？所有问题不要等出现后再去解决。

准爸爸贴心地按摩消除的不只是妻子身体的疼痛，更是心理上对分娩的恐惧。

月子里的错误经验

传统坐月子认为"产后不可以下床，若下床活动，日后多患全身筋骨疼痛"，"产后吃青菜，老来胃疼、胃寒"等，这些说法让新妈妈对坐月子充满了迷茫和恐惧。其实这都是极不科学的，下面金牌月嫂就给大家罗列一些月子里的错误经验，新妈妈赶紧看看吧。

捂月子

婆婆和妈妈时代的人认为坐月子就需要捂，比如，不能外出，要包头巾，不能开窗，就是夏天也要穿得厚些、裹得严实些。对于这种情况，你不必照单全收。要知道，不管是哪个季节，你和宝宝都需要新鲜的空气，否则，容易感冒、患肺炎。通风可谓是一种简单、方便、有效的空气消毒方法，可以大大减少居室的病菌。因此，主张把门窗关得紧紧的来"捂月子"是不科学的。但是，需要注意的是，通风时你可以和宝宝换到另一个房间去，或者每次只开一扇窗户，别形成对流风，不要让风直接吹到你和宝宝。

上午 10 点和下午 3 点前后是通风的最佳时间。

至于外出，那就不必了，你和宝宝的身体状况也不允许。如果在夏天，也没必要包头巾、穿得又厚又严，只要感觉舒服就可以了。

不能见风

不能见风，是老人们说得最多的，即使在室内也要把身体遮拦得严严实实，就怕见风。对于现在来说，只要不吹过堂风，空调、电扇不正对着自己吹，没有必要将自己包裹得像粽子一样，特别是夏天，否则很容易就中暑了。

不能下床活动，要卧床休息

老一辈观点认为产后一个月不能下床活动，这样身体才能恢复好。现在你肯定知道这是不可取的。正常分娩的新妈妈产后 6~8 小时、剖宫产新妈妈产后 24 小时便可以下床活动。如果一个月卧床不起，肯定会让你没有食欲、没有力气，可能还会导致便秘、子宫内膜炎、血管栓塞等疾病。

早喝、多喝浓汤

营养丰富的汤，如鲫鱼汤、猪蹄汤、排骨汤等，可以补充营养，促进身体早些康复，还能促进乳汁分泌，使宝宝得到充足的母乳。但是，也不宜在产后立即喝大量的汤催乳，因为刚出生的宝宝吃得少，此时分泌乳汁过多容易让奶水淤积，导致乳房胀痛，反而影响哺乳。另外，不宜天天喝浓汤，即脂肪含量很高的汤，因为过多的高脂食物不仅让你身体发胖，宝宝也很难吸收，从而导致消化不良。

所以，一般在产后一周后喝汤较好，比较适宜的汤是富含蛋白质、维生素、钙、磷、铁、锌等营养素的清汤，如瘦肉汤、蔬菜汤、蛋花汤、鲜鱼汤等。而且要保证汤和菜、肉一块吃，这样才能真正摄取到营养。

只喝小米粥

还有一种坐月子的错误经验，就是分娩之后只能以小米粥为主食，一直喝好几周。其实，小米粥是很有营养，特别是在月子期间，但是也不能只以小米粥为主食，而忽视了其他营养成分的摄入。刚分娩后的几天可以以小米粥等流质食物为主，但当你的肠胃功能恢复之后，就需要及时均衡地补充多种营养成分了，否则可能会营养不良。

多喝红糖水

习惯上认为红糖水在产后喝比较补养身体，比如可以帮你补血和补充碳水化合物，还能促进恶露排出和子宫复位等，但并不是喝得越久越好。因为过多饮用红糖水，会损坏你的牙齿，夏天会导致出汗过多，使身体更加虚弱。喝得太多还会增加恶露中的血量，从而引起贫血。产后喝红糖水的时间，以7~10天为宜。

当新妈妈产后血性恶露和浆性恶露转为白色恶露时，就不宜再用红糖，以免延长血性恶露排出的时间。

金牌月嫂的月子经

现在食物种类多样化，红糖已经不是新妈妈坐月子期间不可替代的饮食了。新妈妈不必局限于某一种补血用品，平时吃一些红枣、南瓜、葡萄和木耳等，都有一定的补血功效。

葡萄是补血佳品，每周可食用两三次。

南瓜能平肝和胃，和血养血，蒸食或煮粥都可。

红枣补血又补虚，煲汤时放上两三颗即可。

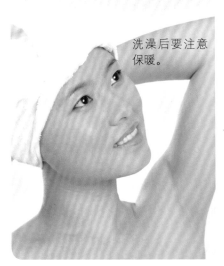

洗澡后要注意保暖。

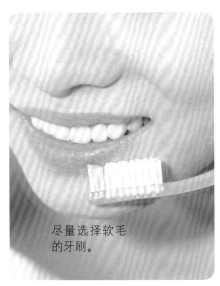

尽量选择软毛的牙刷。

月子里不能洗头、洗澡

老一辈的习俗认为月子里不能洗头、洗澡，否则会受风寒侵袭，将来头痛、身体痛，这种说法也欠妥。因为在以前，受家居环境和条件的影响，洗头或洗澡可能会受凉，但现在一般没有这样的影响了。不管是哪个季节，如果伤口愈合了，家里有洗浴的条件，都可以洗头或洗澡。只要注意水温合适，洗后赶快擦干身体，及时穿好衣服，以免受凉感冒就可以了。如果头发未干不要扎起来，也不要马上睡觉，不然湿邪侵入，可能会让你头痛、脖子痛。

月子里不能刷牙、梳头发

月子里不能刷牙、梳头，这让新妈妈唏嘘不已。其实产后完全可以和平时一样每天刷牙和梳头。刷牙可以帮你清洁牙齿，预防许多口腔疾病。梳头可以刺激头皮的血液循环，使头发长得更好。

只要注意，要选择软毛的牙刷，梳子的齿不要过于尖利，梳长头发不要使劲拉拽，就完全没有问题。如果你出现牙齿松动的现象，需要去看医生，考虑是不是需要补钙了。

睡过软的床

老一辈的人会觉得新妈妈身体虚弱，睡软床最舒服。其实分娩后，新妈妈骨盆尚未恢复，缺乏稳固性，如果这时睡太软的席梦思床，左右活动都有阻力，不利于新妈妈翻身坐起，若想起身或翻身，必须格外用力，很容易造成骨盆损伤。建议新妈妈产后最好睡硬板床，如没有硬板床，则选用较硬的弹簧床。

食用人参滋补身体

分娩后为迅速恢复体力，有些新妈妈立即服用人参。其实，产后不宜服用人参。人参中含有能作用于中枢神经系统和心脏、血管的一种成分——人参皂甙，能产生兴奋作用，使新妈妈不能很好地休息，影响恢复。而且，人参及参须还具有回奶的作用，哺乳新妈妈更不宜食用。

金牌月嫂的月子经

除了人参，炒麦芽、韭菜、韭黄、花椒等食物也会造成新妈妈回奶，新妈妈平时饮食上要多加注意。另外，基本上只要是凉性的食物，大多会退奶，比如菊花茶、薄荷等。

产后要大补

补品要因人而异，适当地补有益于人体健康，但补得不当会伤害身体。比如桂圆，含有抑制子宫收缩的物质，不利于产后子宫的收缩恢复，不利于产后淤血的排出。所以利用桂圆补身体，最好等产后恶露排出后，或颜色不再是鲜红色后再吃。最安全的方法是，在你决定要补中药或药食同源的补品时，最好先去咨询中医，再决定补什么，怎么补。

月子里应该多吃鸡蛋

这种说法认为，分娩时产妇的体力消耗很大，产后补充营养非常必要。而鸡蛋是滋补的食品，其中蛋白质含量高、脂肪含量低，适于月子里进食，所以吃得越多越好，可以帮助恢复元气。但是，鸡蛋并不是吃得越多越好。因为产后胃肠道蠕动能力较差，胆汁排出也受影响，鸡蛋如果过量食用，身体不但吸收不了，还会影响肠道对其他食物的摄取。如果蛋白质在胃肠道内停留时间较长，还容易引起腹胀、便秘，所以要适量。

开奶后大量喝汤

产后，家里人少不了给新妈妈炖一些营养丰富的汤，认为这样可以补充营养，促进身体早些康复，还可使乳汁多分泌些。其实这是不科学的，因为刚出生的宝宝胃容量小，吃得也少，这样宝宝没吃完的乳汁就会淤滞于新妈妈的乳腺管中，导致乳房发生胀痛。因此产后不宜过早催乳。

忌食蔬菜水果

传统观念不让月子里吃蔬菜、水果。实际上，产后新妈妈摄入的蔬菜水果如果不够，易导致大便秘结，医学上称为产褥期便秘症。蔬菜和水果富含维生素、矿物质和膳食纤维，可促进胃肠道功能恢复，促进碳水化合物、蛋白质的吸收利用，特别是可以预防便秘，加快毒素代谢。

产后大部分蔬菜都可以食用，但尽量不要食用黄瓜、茄子、苦瓜等凉性蔬菜。

金牌月嫂的月子经

分娩中，新妈妈体力消耗大，胃肠肌张力及蠕动减弱，需要一周左右才能恢复，因此，不宜进食比较油腻的鸡汤、鱼汤等。一周后，再增加鸡汤、鱼汤等高蛋白、富有营养的汤汁食物，以帮助下奶。

顺产妈妈的注意事项

虽然顺产较之剖宫产对新妈妈身体伤害比较小，但是在顺利分娩后也不可大意。如果新妈妈在日常护理中不加以注意，对新妈妈的身体恢复是十分不利的，因此绝不能掉以轻心。

产后不宜马上熟睡

经历难忘的分娩后，看到可爱的宝宝，不少新妈妈都会感到非常满足，就像完成了一项重要的使命，与此同时，强烈的疲劳感袭来，真想痛痛快快地睡一觉。但是专家和医生建议，产后不宜立即熟睡，应当取半坐卧位闭目养神。其目的在于消除疲劳、安定神志、缓解紧张情绪等，半坐卧还能使气血下行，有利于恶露的排出。

新妈妈在半坐卧闭目养神的同时，用手掌从上腹部向脐部按揉，在脐部停留，旋转按揉片刻，再按揉小腹，可有利于恶露下行，避免或减轻产后腹痛和产后出血，帮助子宫尽快恢复。闭目数小时后新妈妈就可以美美地睡上一觉了。

少说话，多休息

顺产后新妈妈身体非常虚弱，头晕乏力，走路晃悠，说话无力，全身都是虚汗，此时新妈妈最需要的就是多休息，即便睡不着也要闭目养神。有些新妈妈生产后会立即发大量报喜的短信，接听很多祝福的电话，殊不知，此时说话最伤神、伤气，这些事情完全可以延后再做或者交由爸爸处理。

多种睡姿交替有利于产后康复

新妈妈在产后休息的时候一定要注意躺卧的姿势，这是因为分娩结束后子宫会迅速回缩，而此时韧带却很难较快地恢复原状，再加上盆底肌肉、筋膜在分娩时过度伸展或撕裂，使得子宫在盆腔内的活动范围增大而极易随着体位发生变动。所以，为了防止发生子宫向后或向一侧倾倒，新妈妈在卧床休养中要注意避免长期仰卧位，而应仰卧与侧卧交替。

若身体无异常，可从产后第二天开始侧卧片刻，每天一两次，每次15~20分钟。

尽早给宝宝喂初乳

一般来说，当新生儿脐带处理好后，新妈妈就可以尝试给宝宝哺乳了。第 1 天有少量黏稠、略带黄色的乳汁，这就是初乳。初乳含有大量的抗体，能保护宝宝免受细菌的侵害，减少新生儿疾病的发生。其次，哺乳的行为可刺激新妈妈大脑，大脑发出信号增加乳汁的分泌。因此，在产后第 1 天尽早地给宝宝哺乳，可形成神经反射，增加乳汁的分泌。

顺产新妈妈的第一次哺乳

产后 1 小时，是给宝宝哺乳的黄金时间。新妈妈可在护士的协助下，尝试给宝宝喂奶，宝宝吮吸新妈妈的乳头是最好的开奶按摩。新妈妈的第一次哺乳要坚持早接触、早吸吮的原则。

早接触

分娩过后，护士会将宝宝带到新妈妈身边，保持母子肌肤相亲。使新妈妈在经过较长时间的待产、分娩后心理上得到安慰，此项措施不仅可促进母婴情感上的紧密联系，也会使新生儿的吸吮能力尽早形成。母婴皮肤接触应在分娩后 30 分钟以内开始，接触时间不得少于 30 分钟。

早吸吮

在分娩后的头一个小时内，大多数新生儿对哺乳或爱抚都很感兴趣，利用这段时间启动母乳喂养是再合适不过的了。尽早地吸吮乳汁，这样会给宝宝留下一个很强的记忆，便于以后的哺乳。同时，宝宝的吸吮可使新妈妈体内产生更多的催产素和泌乳素，前者增强子宫收缩，减少产后出血，后者则可刺激乳腺泡，刺激泌乳。

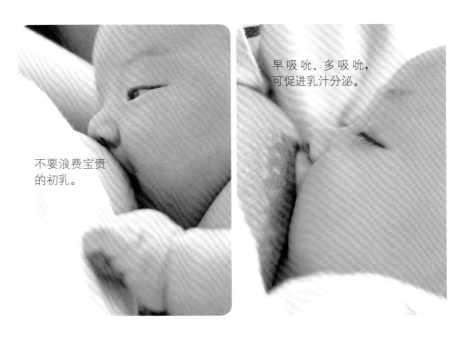

早吸吮、多吸吮，可促进乳汁分泌。

不要浪费宝贵的初乳。

出产房后避免受寒凉

很多新妈妈在家坐月子的时候非常注意避免受寒，但是却往往忽略了刚刚出产房后的保暖事宜。当新妈妈终于结束艰辛的分娩，出产房时，往往衣服、头发已经被汗浸湿。此时，要及时换掉湿衣服，还要用干毛巾把头发擦干，以免受凉。

食用稀软、易消化的食物

产后，新妈妈元气大伤，要及时调理饮食，加强营养，选择富有营养、易消化的食物。产后第一餐应以温热、易消化的半流质食物为宜，如藕粉、蒸鸡蛋、蛋花汤等。第二餐可基本恢复正常，但由于产后疲劳、肠胃功能差，仍应以清淡、稀软、易消化食物为宜，如小米粥、蒸（或煮）鸡蛋、煮烂的肉菜等。

尽早排尿

排尿是新妈妈最容易忽视的一个问题，顺产的新妈妈分娩后4小时即可排尿。少数新妈妈排尿

香糯软滑的苹果粥，开胃消食的同时还可预防产后便秘。

困难，发生尿潴留，其原因可能与膀胱长期受压及会阴部疼痛反射有关，应鼓励新妈妈尽量起床解小便。如果排不出，可以把水龙头打开，诱导尿感；或者用手轻按小腹下方；或使用温水袋敷小腹，一般就会有尿意。产后第一次排尿会有疼痛感，这是正常现象。如果新妈妈实在排不出，可请医生针刺，或药物治疗，如仍不能排尿，应进行导尿。

产后应及时排便

新妈妈除应及时排小便外，还要在产后及时排大便。由于分娩过程中盆底肌肉的极度牵拉和扩张并充血、水肿，以及第二产程中腹肌疲劳，在短期内不能恢复其弹性，加之产程中过度屏气、过度呼喊、水电解质紊乱等导致肠蠕动减慢，产后排便功能减弱。顺产新妈妈通常于产后一两天恢复排便功能。

如果新妈妈产后2日还没有排便，应该多喝水，吃稀饭、面条及富含膳食纤维的食物，也可多吃些通便的蔬菜和水果，如香蕉、油桃、苹果、芹菜、南瓜等。

不要总把宝宝放在新妈妈身边

很多刚刚分娩后的新妈妈在休息的时候总是喜欢将宝宝放在自己身边，以便哺乳。实际上这是不科学的，这种做法一方面影响了新妈妈的休息，因为新妈妈在翻身的时候总会担心不小心压着宝宝或者弄醒宝宝，导致新妈妈在睡觉的时候总是采取一种固定的睡姿。另一方面也不利于宝宝的健康，当新妈妈在睡梦中不自觉地翻身时，可能会把宝宝压伤而发生意外。

因此，新妈妈不要让宝宝和自己睡得太近，可以将宝宝放在婴儿床上，这样新妈妈在睡觉的时候就可以采取自由舒适的姿势了。

当然，我们并不是让新妈妈和宝宝分离，在白天新妈妈和宝宝都醒着的时候，新妈妈要多跟宝宝说说话、逗逗宝宝以及正常哺乳，以加深母子感情。但如果新妈妈身体不适、需要休息时，就要尽量把宝宝放在婴儿床上，以免影响新妈妈睡眠。

保持身体清洁

产后第一天，新妈妈身体比较虚弱，不宜洗澡，可用温水擦

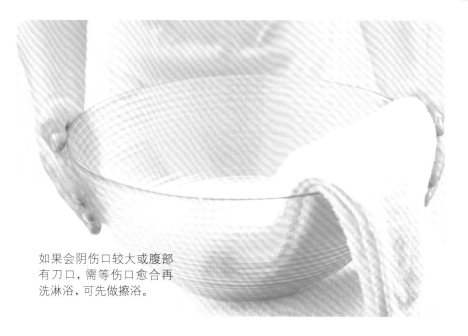

如果会阴伤口较大或腹部有刀口，需等伤口愈合再洗淋浴，可先做擦浴。

浴。把自己打理得干干净净，心情也畅快多了。产后衣着应清洁、舒适，冷暖适宜，不应与气温相差太远。夏季注意避暑，冬季注意保暖，保持会阴清洁，勤换卫生巾。新妈妈产后出汗较多，尤其是晚上睡觉时，要多准备几套睡衣，衣服湿了马上要换下，避免着凉。产后一定要注意个人卫生，应该像平时一样刷牙、洗脸、洗脚、梳头，饭前便后洗手，喂奶前洗手。

保持会阴清洁

很多会阴侧切的顺产新妈妈心里都会有些担心，担心伤口恢复不好，其实这些担心完全没有必要。只要每日冲洗会阴部两次，保持会阴干净，并观察出血情况；大小便后用温水冲洗外阴；保持良好、愉快的心态，都能恢复得很好，更不会影响以后的性生活。

如果是会阴左部侧切，妈妈最好右侧卧睡，可减轻疼痛。

减少会阴疼痛

大多数新妈妈产后都会暂时感到会阴疼痛，下面是一些减轻不适和疼痛的自助方法：

❶ 一定要避免触碰损伤的地方。

❷ 不要长时间站着或坐着。

❸ 至少每 4 个小时换一次卫生巾，确保卫生巾垫得合适牢靠，免得卫生巾动来动去引起更多刺激。

❹ 小便后用温水冲洗会阴部，并用干净的毛巾轻轻擦干，而不要用卫生纸。大便后要从前往后擦拭，避免把肛门的细菌带到阴道。

❺ 如果疼痛没有减轻，或是发烧了，要去医院就诊，可以在医生指导下吃些止疼消炎药。

❻ 产后尽快开始做些骨盆底肌肉练习，这能促进会阴部的血液循环，帮助恢复。同时还要放松身心，这样更有利于恢复。

顺产侧切伤口护理妙招

有侧切伤口的新妈妈不用愁，金牌月嫂来给你支招：

❶ 在产后的最初几天里，恶露量较多，应选用消过毒的卫生巾，并经常更换。尤其是在拆线前，每天最好用 1：2000 新洁尔灭等消毒液冲洗会阴两次。

❷ 大小便后要用温水冲洗外阴，以保持伤口的清洁干燥，防止感染。

❸ 伤口痊愈不佳时要坚持清洗外阴，每天一两次，持续两三周，这对伤口肌肉的复原极有好处，清洗外阴的药水配制应遵医嘱。

❹ 如果伤口在左侧，应当向右侧睡；如果伤口在右侧就应向左侧睡。

随时防止会阴切口裂开

做了阴道侧切的新妈妈，要随时防止会阴切口裂开。发生便秘时，不可屏气用力扩张会阴部，可用开塞露或液体石蜡润滑；尤其是拆线后头两三天，避免做下蹲、用力动作；解便时宜先收敛会阴部和臀部，然后坐在马桶上，可有效地避免会阴伤口裂开；坐立时身体重心偏向没有侧切的一侧，既可减轻伤口受压而引起的疼痛，也可防止表皮错开；避免摔倒或大腿过度外展而使伤口裂开。

及早下床活动有助于身体恢复

分娩时新妈妈因消耗了大量体力，感到非常疲劳，需要好好休息，但长期卧床不活动也有很多坏处。一般来说，顺产的新妈妈，在产后6~8小时就可第一次下床活动，每次5~10分钟。如果会阴撕裂、侧切，应坚持6~8小时第一次下床活动或排尿，但是要注意行走速度要慢、要轻柔，避免动作太激烈将缝合的伤口拉开。第一次下床活动时必须有家人陪同，以防体虚摔倒，并注意不要站立太久。

新妈妈出院前的准备

新妈妈和新爸爸往往认为，宝宝平安生下后，一切万事大吉，又由于宝宝刚出生的前几天是在医院度过的，由医护人员护理宝宝，所以往往忽略新妈妈出院时的准备工作。其实，出院的准备同入院准备一样重要。顺产的新妈妈一般需要住院3~5天，会阴侧切和剖宫产新妈妈需住院5~7天。出院前，新妈妈和新爸爸尽量要把回家前的事准备好，需要咨询的要及时询问医护人员，而且要有迎接困难的心理准备。

❶ 详细咨询医护人员育儿指导问题：包括如何抱宝宝、如何哺乳、如何给宝宝洗澡、如何给宝宝穿衣服、如何护理脐带、如何观察黄疸等。

❷ 家人准备好出院时新妈妈的衣服，新妈妈尤其不要忽略头部、颈部和足部的保暖。

❸ 抱宝宝的被子也要提前准备好，以防宝宝着凉，最好选用纯棉面料的小被子。

❹ 新妈妈和宝宝出院前，需要经过医生检查才可出院。此时新妈妈可以就自己及宝宝的身体情况咨询医生相关事宜。

❺ 新爸爸要提前在家中准备好舒适温暖的卧室和新生儿的小床。

金牌月嫂的月子经

出院时，新妈妈在路上一定要避免吹风，可以比平常人适当多穿一点。考虑到在回家途中可能要哺乳，所以新妈妈最好穿系扣的衣服，以方便哺乳。

此外，应核对宝宝卡介苗及乙型肝炎第一剂是否接种完成。若未接种，最好查明原因，并完成预约接种时间。

有很多医院都开通24小时儿科咨询平台，新妈妈可以记下电话，在家中有任何育儿问题可以打电话先咨询，避免一有问题就频繁带宝宝进出医院。

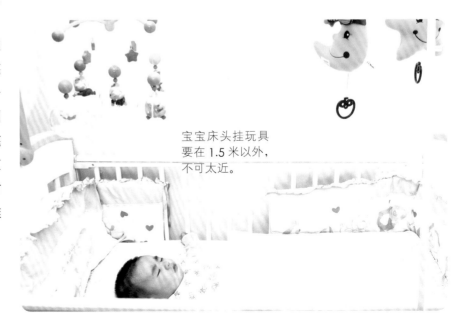

宝宝床头挂玩具要在1.5米以外，不可太近。

剖宫产妈妈的注意事项

剖宫产不同于自然分娩，由于手术伤口较大，创面较广，所以经历了剖宫产的新妈妈在产后护理及坐月子的时候，要注意的事项会很多。但是剖宫产的新妈妈也不必为此忧心忡忡，只要科学、合理地进行护理，也完全可以坐一个轻松、惬意的月子。

少用止疼药

年轻的剖宫产新妈妈多少有点"娇气"，由于没有经历自然分娩的疼痛，在剖宫产后麻醉药作用消退时，会感觉到伤口出现疼痛，并逐渐强烈。此时，新妈妈最好不要再用止痛药物，因为它会影响肠蠕动功能的恢复，也不利于哺乳。为了宝宝，新妈妈忍一忍，这种疼痛很快就会过去的。

新妈妈少用止疼药，以免影响乳汁质量。

密切关注阴道出血量

家人要给予剖宫产新妈妈更多的关注和照料。由于剖宫产时，子宫出血较多，新妈妈及家属在手术后 24 小时内应密切关注阴道出血量，如发现超过正常月经量，要及时通知医生。另外，要预防伤口缝线断裂，咳嗽、恶心、呕吐时，应压住伤口两侧，防止缝线断裂。

剖宫产后睡觉姿势

产后合理的睡姿，对剖宫产新妈妈的身体恢复非常重要。

剖宫产术后前 6 小时：术后回到病房，需要头偏向一侧、去枕平卧 6 个小时。因为大多数剖宫产选用硬脊膜外腔麻醉，头偏向一侧可以预防呕吐物的误吸，去枕平卧则可以预防头痛。

剖宫产 6 小时后：6 个小时以后，可以垫上枕头了，并应该鼓励进行翻身，以变换不同的体位。采取半卧位的姿势较平卧更有好处，这样可以减轻身体移动时对伤口的震动和牵拉痛，会觉得舒服一些。同时，半卧位还可使子宫腔内积血排出。半卧位的程度，一般使身体和床成 20°~30° 为宜，可用摇床，或者垫上被褥。

新妈妈要多翻身

忍住疼痛多翻身，是剖宫产新妈妈尽快排气、恢复身体的一大秘诀。由于剖宫产手术对肠道的刺激，以及受麻醉药的影响，新妈妈在产后都会有不同程度的肠胀气，会感到腹胀。如果此时在家人的帮助下多做翻身动作，就会使麻痹的肠肌蠕动功能尽快恢复，从而使肠道内的气体尽早排出，可以解除腹胀，还可避免引起肠粘连。

术后 24 小时内要卧床休息

无论局部麻醉还是全身麻醉的新妈妈，术后 24 小时之内都应卧床休息，每隔三四个小时在家人或护理人员的帮助下翻一次身，以免局部压出褥疮。放置于伤口的沙袋一定要持续压迫 6 小时，以减少和防止刀口及深层组织渗血。另外，应保持环境安静、清洁，注意及时更换消毒软纸。

产后注意排尿

剖宫产手术前，医生会在产妇身上放置导尿管。导尿管一般在术后 24~48 小时、待膀胱肌肉恢复收缩排尿功能后拔掉。拔管后，新妈妈如果有尿意，一定要尽量努力自行解小便，这有利于防止尿路感染。

剖宫产新妈妈的第一次哺乳

剖宫产新妈妈同样也可将最珍贵的初乳喂给宝宝。宝宝的吸吮还可以促进子宫收缩，减少子宫出血，使伤口尽快复原，剖宫产新妈妈可以让家人或护士把宝宝放到床边，妈妈侧躺着哺乳。

防止缝线断裂

剖宫产新妈妈术后要小心再小心，时刻提醒自己伤口还没有复原。咳嗽、恶心、呕吐时，请月嫂或者家人帮助新妈妈用手压住伤口两侧，以免伤口出现意外。另外，家人还要多帮助新妈妈检查伤口愈合情况，尤其是肥胖者、糖尿病患者、贫血患者等。月嫂还可在新妈妈卧床休息时，给新妈妈轻轻按摩腹部，这不但能促进肠蠕动恢复，还有利于子宫、阴道内残余积血的排出。

金牌月嫂的月子经

感冒咳嗽可影响伤口愈合，剧咳甚至可造成伤口撕裂，已患感冒的新妈妈应及时治疗。下面就给新妈妈介绍几种食疗方法：

姜糖饮：姜、葱白、红糖同煮，趁热饮用，可驱散寒气治感冒。

白萝卜汁：萝卜洗净、切片，加入蜂蜜煮半小时，可发汗止咳，治风寒咳嗽。

豆浆饮：黄豆浸泡榨汁，加冰糖饮用，可清肺止咳，用于肺热咳嗽。

剖宫产新妈妈饮食原则

剖宫产新妈妈不同于顺产新妈妈，尤其表现在饮食上，要跟顺产新妈妈的饮食区分开来。

术后 6 小时内应禁食

剖宫产手术，由于肠管受到刺激而使肠道功能受损，肠蠕动减慢，肠腔内有积气，术后易有腹胀感。剖宫产术后 6 小时内应禁食，待术后 6 小时后，可以喝一点温开水，刺激肠道蠕动，等到排气后，才可进食。刚开始进食的时候，不要吃巧克力、果汁和牛奶等，应选择流质食物，然后由软质食物向固体食物渐进。

剖宫产手术 6 小时后，喝杯温开水，可促进新妈妈排气。

饮食有别

剖宫产与正常生产相比，新妈妈身体上发生了明显的变化，如子宫受到创伤，手术中失血，新妈妈精神疲惫，脑垂体分泌催乳素不足，影响乳汁正常分泌等。进行剖宫产的新妈妈，更应该注意调养身心。

剖宫产因有伤口，同时产后腹内压突然减轻，腹肌松弛、肠蠕动缓慢，易有便秘倾向，饮食的安排应与顺产的新妈妈有差别。

少吃易产气食物

开始进食时宜食用促进排气的食物，如萝卜汤等，以增强肠蠕动，促进排气，减少腹胀，并使大小便通畅。易发酵产气多的食物，如糖类、豆类、淀粉类等，要少吃或不吃，以防腹胀。

流食为主

大量排气后，饮食可由流质改为半流质，如蛋汤、粥、面条等，可根据新妈妈的体质而定，饮食逐渐恢复到正常。应禁止过早食鸡汤、鲫鱼汤等油腻肉类汤和催乳食物。

不宜过饱

剖宫产手术时肠道不免要受到刺激，胃肠道正常功能被抑制，肠蠕动相对减慢。如多食会使肠内代谢物增多，在肠道滞留时间延长，这不仅可造成便秘，而且还会使新妈妈产气增多，腹压增高，不利于康复。

导尿管拔出后要增加饮水量

因为插导尿管本身就可能引起尿道感染，再加上阴道排出的污血很容易污染到尿道，通过多饮水、多排尿，可冲洗尿道，以防泌尿系统感染。

尽早开奶

剖宫产新妈妈照样有母乳！请一定牢记这一点。虽然剖宫产的分娩方式有别于瓜熟蒂落的自然分娩，新妈妈身体受损和体内泌乳素的迟至都会使剖宫产新妈妈乳汁分泌不及顺产新妈妈快。所以，剖宫产新妈妈更要让宝宝频繁吸吮，这是加快乳汁产出的最有效的办法。

选好哺乳姿势

剖宫产新妈妈常常会为如何哺乳发愁。由于伤口的原因，起初很难像顺产新妈妈一样采取横抱式的哺乳姿势，同时也很难采取标准的侧卧位，因此对于剖宫产的新妈妈，学会正确的哺乳姿势，才能既有利于新妈妈恢复，也有助于宝宝吸吮，下面两种哺喂姿势就非常适合剖宫产新妈妈。

床上坐位哺乳

新妈妈背靠床头坐或取半坐卧位，让家人帮助新妈妈将背后垫靠舒服，把枕头或棉被叠放在身体一侧，其高度约在乳房下方，新妈妈可根据个人情况自行调节。将宝宝的臀部放在垫高的枕头或棉被上，腿朝向新妈妈身后，新妈妈用胳膊抱住宝宝，使他的胸部紧贴新妈妈的胸部。新妈妈用另一只手以"C"字型托住乳房，让宝宝含住乳头和大部分乳晕。

床下坐位哺乳

新妈妈坐在床边的椅子上，尽量坐得舒服，身体靠近床沿，并与床沿成一夹角，把宝宝放在床上，用枕头或棉被把他垫到适当的高度，使他的嘴能刚好含住乳头，妈妈就可以环抱住宝宝，用另一只手呈"C"字型托住乳房给宝宝哺乳。

其实，采取什么样的姿势并不重要，只要新妈妈和宝宝觉得舒服就可以了。哺乳更大的意义就是让宝宝对乳头进行有效的吸吮，以促进射乳反射和泌乳素的分泌，同时也让宝宝适应和习惯新妈妈的乳头。更重要的是，正确舒适的哺乳体位还能够增强剖宫产新妈妈哺乳的信心，从而达到泌乳——哺乳——泌乳的良性循环，让新妈妈和宝宝都能感受到哺乳的美妙。

宝宝多吸吮促进子宫收缩

剖宫产的新妈妈更应该让宝宝多吸吮、勤吸吮，这是因为剖宫产新妈妈子宫收缩相对会慢一些，而宝宝的吸吮可以促进子宫收缩。有些新妈妈担心哺乳会影响伤口愈合，其实，与新妈妈的担心恰恰相反，哺乳会减少子宫出血，子宫收缩得越快，复原得也越快。因此医生都会鼓励新妈妈让宝宝多多吸吮。

金牌月嫂的月子经

千万不要因为剖宫产新妈妈下奶晚就急着喝催乳汤，新妈妈的乳腺管完全畅通需要六七天，如果此时喝下大量催乳汤，会使新妈妈乳腺管堵塞而出现乳房胀痛，甚至引发乳腺炎。

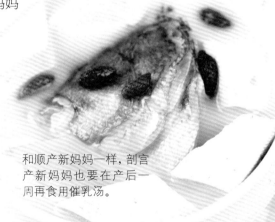

和顺产新妈妈一样，剖宫产新妈妈也要在产后一周再食用催乳汤。

术后尽早活动

从剖宫产术后恢复知觉起,就应该进行肢体活动,24 小时后要练习翻身、坐起,并下床慢慢活动,这样能增强胃肠蠕动,尽早排气,还可预防肠粘连及血栓形成而引起其他部位的栓塞。

如果觉得下床很吃力,新妈妈可先在床边坐着舒展一下筋骨。

麻醉消失后,上下肢肌肉可做些收放动作,拔出尿管后要尽早下床,动作要循序渐进,先在床上坐一会儿,再在床边坐一会儿,再下床站一会儿,然后再开始溜达。

开始下床行走时可能会有点疼痛,但是对恢复消化功能很有好处。术后 24 小时,新妈妈可以在家人帮助下,忍住刀口的疼痛,在地上站立一会儿或轻走几步,每天坚持做三四次。实在不能站立,也要在床上坐起一会儿,这样也有利于防止内脏器官的粘连。

提醒剖宫产新妈妈,下床活动前可用束腹带(医用)绑住腹部,这样,走动时就会减少因为震动而引起的伤口疼痛。

定时查看刀口及恶露

剖宫产术后顺利诞下小宝宝,全家欣喜之余别忘了定时查看新妈妈腹部刀口的敷料有无渗血。手术后应有恶露排出,量与月经量接近或略多,流血过多或者无恶露排出均属于不正常现象,应及时告知医生。

拆线后再出院

一般来说剖宫产术后拆线时间根据切口不同而定,如果新妈妈身体没有异常,横切口的新妈妈一般术后 5 天拆线,纵切口的新妈妈术后 7 天拆线。但是如果是比较胖的新妈妈,腹压会比较高,就要延长拆线时间了,具体时间可遵从医生建议,以免拆线过早,引起伤口裂开。

金牌月嫂的月子经

剖宫产新妈妈术后几天要注意加强营养以及多下床或在床上多做翻身活动,以便促进伤口愈合,平时不可用手打开敷料贴,以免污染伤口,造成感染。

伤口护理措施

只要护理得当，难看的疤痕照样会变得很轻很轻，不会影响新妈妈身体的美观。剖宫产后，身体抵抗力较弱者或者腹部脂肪较厚者有可能引起伤口感染。另外，伤口疤痕会影响外观，由于体质的原因，一些新妈妈还可能会有瘙痒的困扰，处理上十分棘手，如果有这种体质，手术后就应该使用硅胶片，以减少蟹足肿(瘢痕疙瘩)发生。一般剖宫产的手术伤口范围较大，皮肤的伤口在手术后5~7日即可拆线或去除皮肤夹，也有的医院进行可吸收线皮内缝合，不需拆线。但是，完全恢复的时间需要4~6周。剖宫产后伤口的护理措施：

❶ 手术后伤口的痂不要过早地揭掉，过早强行揭痂会把尚停留在修复阶段的表皮细胞带走，甚至撕脱真皮组织，刺激伤口出现刺痒。

❷ 改善饮食习惯，多吃蔬菜水果、鸡蛋、瘦肉等富含维生素C、维生素E以及含人体必需氨基酸的食物。

❸ 一定要避免阳光直射，防止紫外线刺激形成色素沉淀。

❹ 注意保持疤痕处的清洁卫生，及时擦去汗液，不要用手搔抓，不要用衣服摩擦疤痕或用水烫洗的方法止痒，以免加剧局部刺激，促使结缔组织炎性反应。

伤口发痒怎么办

伤口有些发痒，新妈妈别害怕，这是由于手术刀口结疤后疤痕开始增生，此时局部会出现发红、发紫、变硬，并突出皮肤表面。3~6个月后，纤维组织增生逐渐停止，疤痕也逐渐变平变软，颜色变成暗褐色，这时剖宫产疤痕就会出现痛痒。特别是在大量出汗或天气变化时，常常刺痒到非要抓破见血才肯罢休的程度。所以在疤痕患者中有"疼痛好忍、刺痒难熬"之说。正确的处理方法是涂抹一些外用药，如肤轻松、去炎松、地塞米松等用于止痒，但哺乳妈妈要谨慎用药。切不可用手抓挠，用衣服摩擦或用水烫洗，这样只会引起进一步刺痒。

每天一杯新鲜、温热的蔬果汁，有助于新妈妈伤口愈合，还可提高乳汁质量。

生活细节

　　顺产的月子期是 42 天，剖宫产的月子期是 56 天。这是依据新妈妈身体复原状况而定的，不是我们一般地认为仅是一个月。在这 42 天或 56 天的时间里，新妈妈都要注重生活细节，养好身体，按照坐月子的习惯来生活。

每天保证八九个小时的睡眠

　　生完宝宝后，新妈妈有好多新的任务要完成，如喂奶、换尿布、哄宝宝睡觉……晚上睡个好觉成了一种奢望。一项最新的调查显示，有超过 40% 的新妈妈都会出现睡眠问题。为了自己和宝宝的身体健康，新妈妈必须保证每天的睡眠时间在八九个小时。

根据宝宝的生活规律进行休息

　　在月子里，宝宝每两三个小时要吃一次奶，还要勤换尿布，宝宝醒后还可能会哭闹一阵，几乎整夜都需要妈妈的照顾，新妈妈的休息睡眠时间也因此大打折扣。劳累加上睡眠质量下降，导致了很多新妈妈脾气烦躁起来。

　　一般情况下，新生儿每天大概要睡 15 个小时，而新妈妈至少要睡 8 小时。因此新妈妈要根据宝宝的生活规律调整休息时间，当宝宝睡觉的时候，不要管什么时间，只要感觉疲劳，都可以躺下来休息。

不要小看这短短的休息时间，它会让你保持充足的精力。

坐月子不等于卧床休息一个月

　　新妈妈刚生完宝宝身体虚弱，需要充分的调养才能复原，所以，新妈妈要注意休息，但完全卧床休息一个月不活动，对新妈妈也不利。坐月子期间既不能卧床不动，也不宜过早、过量活动，要劳逸结合，适度锻炼，觉得稍累就躺下休息。

积极预防产后失眠

　　过度担心宝宝或其他原因使有些新妈妈常常失眠，这不仅对新妈妈的健康造成危害，还会影响新妈妈泌乳。新妈妈要多吃含维生素高的蔬菜；每晚用热水泡泡脚；睡前喝杯牛奶；适时调理好自己的心情，积极预防产后失眠。

40~50℃的水温最适合泡脚，再加些米醋，有利于缓解失眠和消除疲劳。

随时照顾伤口

剖宫产新妈妈伤口的护理必须遵循两个原则：一是保持干爽；二是在手术隔天视情况换药。此外，要特别注意翻身的技巧。术后 24 小时后就应该练习翻身，坐起并下床慢慢活动，以增强胃肠蠕动并尽早排气，防止肠粘连及血栓形成。

第 1 周内不可使冷水接触伤口，洗澡需采用擦澡方式。必要的话可贴上防水胶布。在咳嗽、笑、下床前，应以手及束腹带固定伤口部位。

重视血性恶露不尽

分娩后的新妈妈不要只顾着宝宝，而忽视自身的健康，尤其是血性恶露的变化。

正常恶露有血腥味，但无臭味，恶露持续的时间因人而异，平均约为 21 天，短者可为 14 天。通过对恶露的观察，注意其质和量、颜色及气味的变化，可以了解子宫恢复是不是正常。

血性恶露：色鲜红，含大量血液，量多，有时有小血块。有少量胎膜及坏死蜕膜组织。持续三四天，子宫出血量逐渐减少，浆液增加，转变为浆性恶露。

浆性恶露：含少量血液和较多的坏死蜕膜组织、宫颈黏液、宫腔渗出液。浆液恶露持续 10 天左右，浆液逐渐减少，白细胞增多，变为白色恶露。

白色恶露：黏稠，色泽较白。含大量白细胞、坏死组织蜕膜、表皮细胞等。

如果血性恶露持续 2 周以上、量多或为脓性、有臭味，或者伴有大量出血等症状，应立即就医，以免发生危险。恶露多的新妈妈还要注意阴道卫生，每天用温开水清洗外阴部。选用柔软消毒卫生纸，内裤和卫生巾要经常换洗，减少细菌侵入机会，防止阴道感染。

产后大量出汗

新妈妈自然分娩后一般都会大量出汗，这种情况大概会持续 2 周左右，不必太担心。大量出汗与孕期血容量增加、分娩时消耗人量体力有关。另外，怀孕期雌激素水平明显增加，使孕妈妈身体内潴留一些水分，这些多余的体液在产后就要通过尿液和汗液排出。因此在产后 2 周内，新妈妈会经常出汗。

以画圈的方式轻柔、匀速按摩腹部子宫位置，让恶露顺利排出。

至少 6 个月纯母乳喂养

母乳是新妈妈给宝宝准备的最好的"粮食"。研究证明，母乳喂养的宝宝要比牛奶喂养的宝宝生病率低。母乳中有专门抵抗入侵病毒的免疫抗体，可以让 6 个月之前的宝宝有效防止麻疹、风疹等病毒的侵袭，以及预防哮喘之类的过敏性疾病等。母乳不仅为宝宝提供了充足的营养，也提供了最好的亲子共享机会，并有益于促进宝宝的智力发育。

母乳喂养的新妈妈，产后恢复要快很多，因为宝宝的吸吮可以促进子宫的收缩，大大降低乳腺癌的发病率。有人认为母乳喂养的新妈妈容易乳房下垂，其实两者没有什么关系，只要新妈妈经常按摩，并且戴文胸支撑，可以明显防止乳房变形。

基于母乳喂养对宝宝和新妈妈的双重益处，国际母乳协会建议，至少要保证母乳喂养 6 个月，如果有条件，完全可以持续到宝宝 2 岁。

"清空"乳房防涨奶

如果涨奶时间很长，宝宝又吸不出来奶的时候，新妈妈可以及时用吸奶器吸空乳房，防止奶汁积聚，引发乳房不适或乳腺炎。也可以试试站着洗个热水浴，帮助新妈妈"清空"乳房。

按需哺乳

"喂奶看孩子，别看钟。"这是国际母乳协会一句著名的格言，意思是母乳要按需喂养，而不是按时喂养。新妈妈分泌乳汁后 24 小时内应该哺乳 8~12 次。哺乳时让新生儿吸空一侧乳房后再吸另一侧乳房。如果宝宝未将乳汁吸空，新妈妈应该自行将乳汁挤出或者用吸奶器把乳汁吸出，这样才有利于保持乳汁的分泌及排出通畅。

在宝宝形成哺乳规律前，宝宝啼哭或要吃奶时不论何时都应哺乳，即使母乳分泌不足，也应该坚持给宝宝哺乳。因为宝宝吮吸乳头时会促进新妈妈的激素分泌，促进母乳分泌和子宫的康复。

金牌月嫂的月子经

如果新妈妈乳头疼痛，可能是哺乳时宝宝没有正确地含住整个乳晕部分，而只是咬住了乳头造成的。新妈妈要耐心地与宝宝一起顺利完成这一过程。

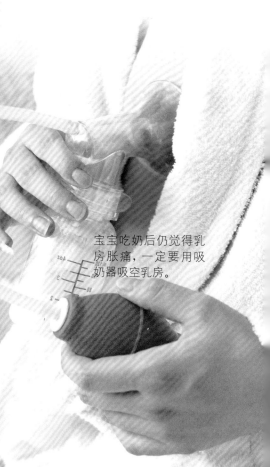

宝宝吃奶后仍觉得乳房胀痛，一定要用吸奶器吸空乳房。

选择最舒服的姿势哺乳

舒服的姿势会让哺乳时刻变得分外美妙，让哺乳成为一种享受。而且，舒服的姿势不会让自己和宝宝感觉到劳累。如果坐在床上或沙发上哺乳，可以用枕头垫在腿上。如果坐在椅子上，可以踩一只脚凳。宝宝也要躺舒服了，他的身体对着新妈妈的身体，头枕在新妈妈的前臂或肘窝里，新妈妈的胳膊托住他的背，手托住他的屁股和腿，让他的脸正好对着新妈妈的乳房。

不要轻易放弃母乳喂养

如果新妈妈流出的乳汁量少的话，新妈妈更应该多让宝宝吮吸乳房。因为宝宝的吮吸动作会刺激泌乳，这称为"泌乳反射"。千万不要轻易放弃哺乳，产后一个星期后可以多吃一些帮助下奶的食物、多休息、保持心情舒畅等，都可以帮助新妈妈泌乳。

外出回家后不要马上授乳

很多哺乳新妈妈，外出回家后就迫不及待地授乳，这么做是不合适的。一则，刚进家门，家里与室外环境不一样，新妈妈体温会有差别，冬天时一身冷气，夏天一身热气，马上抱起宝宝会使宝宝感到不适。二则，新妈妈最好歇一会儿，调整下呼吸，呼吸平稳了再授乳，宝宝吮吸时不容易呛着。三则，迫不及待给宝宝哺乳的新妈妈应先把穿了一天的外衣脱去，洗干净双手，找个舒服的姿势坐好，再给宝宝哺乳，以免双手和衣服上的细菌危害宝宝的健康。

哺乳期禁吃口服避孕药

避孕是产后新妈妈很关心的一个话题。口服避孕药安全长效，是新妈妈很青睐的一种避孕方法。还能预防和减少缺铁性贫血，减少经期出血量，缩短经期，治疗月经失调，使痛经减轻。但产后哺乳妈妈不应服用，以免影响乳汁质量；不哺乳的新妈妈，可在产后21天后开始服用。

轻度发炎不可停止哺乳

新妈妈在发生急性乳腺炎时，最好不要停止母乳喂养，因为停止哺乳不仅影响宝宝的喂养，而且还增加了乳汁淤积的机会。所以，在感到乳房疼痛、肿胀甚至局部皮肤发红时，不但不要停止母乳喂养，而且还要勤给宝宝哺乳，让宝宝尽量把乳房里的乳汁吃干净。而当乳腺局部化脓时，患侧乳房应停止哺乳，并以常用挤奶的手法或吸奶器将乳汁排尽，促使乳汁通畅排出。与此同时，仍可让宝宝吃另一侧健康乳房的母乳。只有在感染严重时，才应完全停止哺乳，并按照医嘱积极采取回乳措施。

不管哪种姿势喂奶，都要将整个乳晕送到宝宝口中。

坐月子注意眼睛的保养

俗话说"新妈妈一滴泪比十两黄金还贵重"。这话是有道理的，女性最开始老化就是从眼睛开始的，因此产后眼睛的保养是非常重要的。

新妈妈如果哭泣的话，眼睛会提早老化，有时会演变为眼睛酸痛、青光眼的起因。另外，如果一定要看书报，则每看 15 分钟要休息 10 分钟。有时间可以做一做眼保健操。经常吃些动物肝脏、蜂蜜、胡萝卜、黄绿色蔬菜，能使眼睛明亮。

月子里不要碰冷水

新妈妈全身的骨骼松弛，如果冷风、冷水侵袭到骨头，很可能落下"月子病"。月子里不能碰冷水，即使在夏天，洗东西仍然要打开热水器用温水。另外，开冰箱这样的事情，也请家人代劳吧。

每天早晚做 10 分钟眼保健操，能改善新妈妈头晕、头痛症状。

注意腰部保暖

新妈妈平时应注意腰部保暖，特别是天气变化时要及时添加衣服，避免受冷风吹袭，受凉会加重疼痛。可以用旧衣物制作一个简单的护腰，最好以棉絮填充，并且在腰带部位缝几排纽扣，以便随时调节松紧。护腰不要系得太松也不要系得太紧，太松会显得臃肿、碍事，也不能起到很好的防护和保暖作用；太紧会影响腰部血液循环。

要穿带后跟的软底拖鞋

多数人认为坐月子期间新妈妈不需要准备鞋，因为大多数时间不出门，只是在家走走。其实坐月子期间更要注意足部保暖，一定要穿双柔软的棉拖鞋，最好是带脚后跟的。尤其是冬季，如果脚受凉，会引发产后足跟或腹部不适。即便是在室内活动，也应该穿柔软的运动鞋或休闲鞋，而不要穿着无后跟拖鞋，更不可穿高跟鞋。

金牌月嫂的月子经

夏天坐月子的新妈妈往往忽略脚部的保暖，天气炎热可以穿双软底拖鞋，再加穿一双薄棉袜即可。

有效去除妊娠纹

生宝宝是非常骄傲和幸福的一件事情，但新妈妈的肚子上、大腿上会留下恼人的妊娠纹，严重影响新妈妈产后的体态和身心健康。如何有效去除妊娠纹？金牌月嫂给出了以下几点建议：

适当补充维生素。平时多吃富含维生素 B_6 的牛奶及奶制品，还有富含维生素C的食物，如橘子、草莓和绿色蔬菜等。

适当按摩。有助于增加皮肤弹性。在洗澡时，轻轻以打圈的方式按摩有肥胖纹或妊娠纹的部位。

调养休息。产后无论多忙都要保证每天 8 小时以上的睡眠，调整体内激素的分泌。另外，还要进行适当的体育锻炼。

需要绑腹带吗

不少新妈妈会选择绑腹带。其实是否用腹带要因人而异。对哺乳的新妈妈来说，使用腹带束缚，会勒得胃肠蠕动减慢，影响食欲，造成营养失调，乳汁减少。如果绑得太紧还会使腹压增高，盆底支持组织和韧带的支撑力下降，从而造成子宫脱垂、阴道膨出、尿失禁等症状，会危害新妈妈的健康。

剖宫产的新妈妈在手术后的 7 天内最好使用腹带包裹腹部，可以促进伤口愈合，腹部拆线后不宜长期使用腹带。另外，如果新妈妈内脏器官有下垂症状，最好绑上腹带，有对内脏进行举托的功效。一旦复原，就要松开腹带。

绑腹带的正确方法

经常有很多新妈妈面对眼前的腹带面露难色，其实，绑、拆腹带很简单，一点都不麻烦。

选择腹带：选择长约 3 米，宽 30~40 厘米，有弹性，透气性好的腹带。可以准备两三条以便替换。

绑法：

❶ 仰卧、平躺、屈膝、脚底平放在床上、臀部抬高。

❷ 双手放至下腹部，手心向前往心脏处推、按摩。

每绕一圈半在臀部两侧斜折一次。

❸ 推完，拿起腹带从髋部耻骨处开始缠绕，前 5~7 圈重点在下腹部重复缠绕，每绕一圈半要如图斜折一次；接着每圈挪高大约 2 厘米由下往上环绕直到盖过肚脐，再用回形针固定。拆下时边拆边将腹带卷成圆筒状，方便下次使用。

春季坐月子

春季天气多变，气候很不稳定。另外，春季也是传染病多发季节。因此，新妈妈春季坐月子一定要多注意天气变化，预防疾病。

衣

春天昼夜温差大，新妈妈要注意保暖，宜穿宽松、舒适的纯棉质地的衣服。

食

多吃富含维生素的水果蔬菜，如菠菜、甜椒、西红柿、白菜、胡萝卜、香蕉、橘子等，以防止流感、咳嗽、上火、口腔炎、口角炎、夜盲症和某些皮肤病。

住

新妈妈除了注意休息，避免过多接触外来人员外，还要注意室内的清洁和杀菌消毒。

行

体质好的新妈妈可在产后两周到室外走一走，但要选择风和日丽的好天气，时间不宜过长。

夏季坐月子

夏天坐月子是最让新妈妈烦心的事。不过，如果赶到了这个时候，那也没办法，只能想方设法，过一个舒适快乐的月子！

衣

夏天坐月子，最舒适的衣服就是纯棉、宽松、薄薄的睡衣，最好多备几套，以方便换洗。两套短袖的，可以在白天换着穿，两套长袖的，可以在晚上换着穿，以方便晚上起来哺乳或者给宝宝换尿布。夏天可以穿软底拖鞋，如果脚怕冷，那就再穿一双薄的纯棉袜。

食

夏天饮食宜清淡，不要吃刺激性的食物，即使再热，也不要吃冰镇的食品和冷饮。新鲜果汁及清汤对新妈妈来说是一种很好的饮料，其中既富含维生素，又富含矿物质，可以促进新妈妈的身体恢复，也能满足宝宝的需要。

住

现在一般家里都有空调或电风扇，温度太高时可以用，只要不对着新妈妈和宝宝的身体吹就可以。最好室内温度保持在26~28℃，如果是晚上，则可以再适当调高些，若是晚上温度适宜，也可以不开空调，只要开窗通风就可以，但是不要形成对流。

夏天蚊子比较多，因为有小宝宝，不适宜用灭蚊灵、蚊香片等，最好用蚊帐。

行

月子里还是尽量避免外出，因为外面人多，容易传染疾病。但是也没有必要天天窝在屋子里。如果没有风，而且阳光也不强烈，也可以抱着宝宝在阳台上晒晒太阳。

新妈妈夏季也要喝温的蔬果汁和白开水。

秋季坐月子

秋天气候多变，有两个特点：风和燥，因此秋季坐月子的新妈妈要注意防风润燥。

衣

虽然民间有"春捂秋冻"的说法，但对于新妈妈来说，要注意防寒保暖，及时更换干爽的衣服。

食

秋天正是水果蔬菜丰收的季节，想要防治秋燥就要多吃水果蔬菜，但也要适量。此外，还应多喝水，以保持肺部与呼吸道的正常湿润度。

住

稍微开窗通风是可以的，但要注意不能让风直接吹头，特别要避免门窗打开的过堂风，可以将一个方向的门窗打开，将对面门窗关闭。

行

秋天是户外活动的黄金时节。新妈妈可根据自己身体的恢复情况，适当到户外活动一下筋骨，增强机体的抗病能力。

冬季坐月子

相对来说，冬天坐月子要比夏天舒服一些。

衣

可以根据室内的温度选择厚薄适宜的衣服。一般情况下，最舒适的就是宽松的棉质睡衣套装，分上衣、裤子的那种款式。冬天在家里可以穿平底柔软的棉拖鞋，最好带后跟。

食

冬天吃饭应该比夏天坐月子有食欲，但是吃水果就麻烦多了，因为有的水果较凉，不能直接吃。可以在吃水果之前，放温水里暖一下，以不冰凉为原则。

住

室温一般在 22~24℃为好。室内湿度以 55%~65%为好，不可过干或过湿。冬天，开窗通风换气也很重要，每天至少要保证开窗透气两次，每次 15 分钟左右，以更新屋内的空气。

行

月子期间不宜外出，但是在室内适当的运动还是有必要的。早下床活动有利于子宫的恢复，也便于恶露的迅速排出，减少便秘等。

金牌月嫂的月子经

大部分新妈妈月子期间还是在室内度过的，即便很少外出，新妈妈完全可以在室内多活动。分娩后 24 小时就可以下床活动了，每天至少保持半小时的活动时间。

双手轻按颈肩处，顺时针、逆时针各按揉 20 次。

双臂尽量伸直上举，早晚进行两次，每次 3 分钟。

多久可以恢复性生活

产后很多夫妻都会考虑这个问题，这需要看女性性器官在分娩后的恢复状况。正常分娩，最先恢复的是外阴，需 10 余天；其次是子宫，子宫在产后 42 天左右才能恢复正常大小；再次是子宫内膜，子宫内膜表面的创面在产后 56 天左右才能完全愈合；最后是黏膜，需要 1 个月以上。因此正常分娩后的 56 天内不能过性生活。

对于剖宫产或顺产过程中借助产钳、会阴侧切等方式助产的新妈妈，或产褥期中有感染、发热、出血等情况的新妈妈，其子宫、阴道、外阴等器官组织恢复缓慢，性生活则应相应推后。剖宫产最好在分娩后 3 个月才能过性生活，产钳及有缝合术者，应在伤口愈合、瘢痕形成后，约产后 70 天再过性生活。总之，在这些器官组织复原前，要绝对禁止性生活。

如果新妈妈的身体恢复到可以过性生活了，那就要考虑如何避孕的问题了。如果月经正常来过两三次后，可去医院检查，情况正常可考虑放置宫内节育器（即放环），但月经量多者不宜放环。使用避孕药物可能会对卵巢功能的恢复有不好的影响。另外，由于避孕药中的雌激素可使乳汁分泌减少、质量降低，还可能进入乳汁对新生儿产生不良影响，因此哺乳期的新妈妈不宜使用短效口服避孕药。

避孕套避孕在产后夫妻的性生活中被列为首选。单孕激素长效避孕针注射避孕可在新妈妈产后 6 周进行，这也是一种不错的避孕措施。

新爸爸要多照顾新妈妈

新爸爸无论工作多忙，也要适当抽出时间侍候妻子的"月子"。因为新爸爸无微不至的关怀、体贴入微的照顾会更加温暖妻子的心，让她感到做母亲的幸福和伟大，还能使夫妻之间的爱情之果更加成熟、甜蜜。新爸爸在家还要多承担家务活，如扫地、做饭、刷碗、收拾屋子、洗尿布等，力所能及的家务都要尽量去干。

每天给妻子讲讲外面的新鲜事，让她时刻感受到爱和温暖。

产后 42 天要进行健康检查

有些新妈妈忙于照顾宝宝，往往忘记或者忽视产后的检查，这是不对的，新妈妈更要关心自己。产后 42 天的健康检查尤为重要，可以让医生了解新妈妈的恢复情况，了解全身和盆腔器官的恢复情况，及时发现异常，防止后遗症。一些新妈妈因初为人母，忙得头昏脑涨，抽不出时间做产后检查，这样忽略自己的身体健康是不应该的，万一病了，就不能很好地照顾宝宝，所以无论如何都不可忽略产后检查。

高龄新妈妈也能安心坐月子

高龄新妈妈得到宝宝不容易，自然要金贵不少，另外，身体确实是比年轻的新妈妈要弱些，所以更需注意保养。

高龄新妈妈更容易发生妊娠高血压、妊娠糖尿病、产后贫血、产后抑郁症等，所以产后需观察血压、血糖和精神上的变化。产后所吃食物和其他新妈妈一样，但更应吃些补血、补钙的食物，产后前两周不宜大补，应以温补为主，第三周起开始大补，但不能吃红参等大补之物，以防虚不受补。比较适合的是桂圆、乌鸡等温补之物。此外，

要补充蛋白质。蛋白质可以促进伤口愈合，牛奶、鸡蛋等动物蛋白和黄豆等植物蛋白都应该适当食用。

不能过于劳累，但切记也不能躺在床上不动，应适时地下地走动，这样更利于恶露的排出和子宫快速恢复。

从临床上来看，新妈妈年龄越大，产后忧郁症的发病率越高，这可能与产后体内激素变化有关。如常常莫名哭泣、情绪低落等，这时家人一定要多加安慰，安抚新妈妈情绪。

银耳桂圆汤虽清补但也不要过量食用，新妈妈每周喝两三次为最佳。

居家环境与个人卫生

安静、整洁、光照充足、通风、适宜的温度和湿度、舒适的床是新妈妈和宝宝最需要的家居环境。在这样温馨的环境中，新妈妈把自己收拾得干干净净、利利索索，不仅有利于产后身心恢复，宝宝也喜欢每天面对一个美丽的妈妈。

保持居家环境干净、整洁

温馨的居家环境会令新妈妈倍感舒畅、愉悦。而新妈妈和宝宝的房间杂乱无章、空气污浊、喧嚣吵闹，就会使新妈妈的身心健康受到很大影响。因此，产后新妈妈的房间一定要安静、整洁、舒适，有利于新妈妈身体康复。在新妈妈回家坐月子之前，家人需要做好以下工作：

❶ 要选择有阳光和朝向好的房间。这样，夏天可以避免过热，冬天又能得到最大限度的阳光照射。

❷ 不宜住在敞、湿的房间里。由于新妈妈的体质和抵抗力都比较弱，所以居室需要保温、舒适。

❸ 房间采光要明暗适中。最好有多重窗帘等遮挡物随时调节采光。房间还要通风效果好。

❹ 一定要在新妈妈回家之前的两三天，将坐月子房间打扫得非常干净，还要消毒。

❺ 保持卫生间的清洁卫生，随时清除便池的污垢，排出臭气，以免污染室内空气。

❻ 提醒一点，不要在房间内吸烟。

定时开窗通风

很多新妈妈怕受风，整天门窗紧闭，这对新妈妈和宝宝的健康很不利。新妈妈的居室应坚持每天开窗通风两三次，每次 20~30 分钟，这样才能减少空气中病原微生物的密度，防止感冒病毒感染。通风时应先将新妈妈和宝宝暂时移到其他房间，避免受对流风直吹而着凉。

温度湿度保持适宜

不少新妈妈很关注房间的温度，却忽视了湿度。新妈妈的房间温度最好保持在 20~25℃。冬季应特别注意居室内的空气不能过于干燥，可在室内使用加湿器或放盆水，以提高空气湿度。室内空气的相对湿度应保持在 55%~65%。

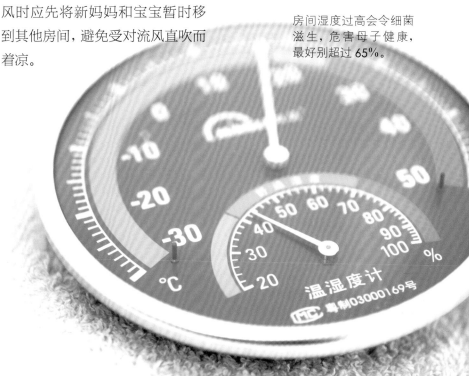

房间湿度过高会令细菌滋生，危害母子健康，最好别超过 65%。

卧室灯光对睡眠很重要

舒适的灯光可以调节新妈妈的情绪而有利于睡眠。新妈妈可以为自己营造一个温馨、舒适的月子环境，在睡前将卧室中其他的灯都关掉而只保留台灯或壁灯，灯光最好采用暖色调，其中暖黄色效果比较好。

合理安排亲友的探访

新妈妈刚分娩完，身体虚弱，需要充分地调养才能复原，新生儿免疫力此时也很弱，因此不可让亲戚朋友过早探望新妈妈和宝宝。若来探望，时间也不宜超过半小时，要给新妈妈尽量多的时间休息。有慢性病或感冒的亲友最好不要来探视新妈妈和宝宝，以免引起交叉感染。

不要睡过软的床

坐月子睡什么样的床也要注意。专家建议，为了保护新妈妈的腰骨，避免腰痛，最好不要睡太软的床，尤其是剖宫产的新妈妈。还要注意被褥不要过厚，即使在冬天被子也应比怀孕后期薄一些。应选用棉质或麻质等轻柔透气的床品。每一两周换洗、暴晒1次。

远离新装修的房子

有些家庭觉得新装修的房子干净、整洁，适合新妈妈和宝宝居住。其实，住在新装修的房间内，水泥、石灰、涂料等建筑材料含有的甲醛、酚、铅、石棉、聚氯乙烯等有害物质，可通过呼吸道和皮肤的吸收，侵入血液循环，影响免疫功能，导致疾病的发生。因此，新妈妈和新生儿要远离新装修的房子。

用醋熏防感冒

新妈妈和宝宝的免疫力较低，若家中有人患了感冒，应立即采取隔离措施，房间里还应及时用食醋熏蒸法进行空气消毒，以每立方米5~10毫升食醋的比例，加水将食醋稀释两三倍，关紧门窗，加热使食醋逐渐蒸发掉即可。这样可以预防新妈妈和宝宝被传染到感冒病菌。

金牌月嫂的月子经

感冒初起喉头痒痛时，立即用浓盐水每隔10分钟漱口及咽喉1次，也可喝些清淡的鸡汤，可减轻感冒时鼻塞、流涕等症状，而且对清除呼吸道病毒有较好的效果。

盐水：觉得喉咙痒痛时，马上用浓盐水漱口。

鸡汤：清淡的鸡汤可有效缓解感冒症状。

坚果：适当吃些坚果，增强免疫力，可远离感冒。

产后穿衣要点

坐月子期间，新妈妈的衣着要随气候变化而进行相应的增减调配，穿着应注意以下几点：

❶ 衣着应宽大舒适。很多新妈妈怕产后发胖，体形改变，就穿紧身衣服，进行束胸或穿牛仔裤来掩盖已经发胖的身形。这样的衣着不利于血液流畅，特别是乳房受挤压极易患奶疖。产后衣着应该略宽大，贴身衣服以纯棉质地为好。

❷ 注意衣服质地。新妈妈的衣服以棉、麻、丝、羽绒等质地为宜，这些纯天然材料十分柔软、透气性好、吸湿、保暖。

❸ 衣着要厚薄适中。天热最好穿短袖，不要怕暴露肢体，如觉肢体怕风，可穿长袖。夏季应注意防止长痱子或引起中暑；冬季应注意保暖后背和下肢。

适宜穿宽松棉质内衣

新妈妈的生理状况较为特殊，毛孔呈开放状态，易出汗，又要喂养宝宝，因此，内衣裤应选择吸汗、透气性好、无刺激性的纯棉面料，且以宽大舒适为宜，不要过于紧身。不宜穿化纤类内衣，每日应更换内衣裤。

哺乳期间也要戴胸罩

不少新妈妈坐月子嫌麻烦，经常不戴胸罩。其实，胸罩能起到支持和扶托乳房的作用，有利于乳房的血液循环。对新妈妈来讲，不仅能使乳汁量增多，而且还可避免乳汁淤积而得乳腺炎。胸罩能保护乳头免受擦碰，还能避免乳房下垂。

新妈妈应根据乳房大小调换胸罩的大小和杯罩形状，并保持吊带有一定拉力，将乳房向上托起。胸罩应选择透气性好的纯棉布料，可以穿着在胸前有开口的哺乳衫或专为哺乳期设计的胸罩。

勤换衣服

新妈妈产后皮肤排泄功能旺盛，出汗多，汗液常浸湿衣服、被褥；同时，乳房开始泌乳，经常弄湿内衣，恶露也常常弄湿内裤。因此，新妈妈的衣服要常换，特别是贴身内衣更应经常换洗。内裤最好一天一换，上衣也要至少两天一换，以保持卫生，防止感染。

新妈妈勿忽视足部的保暖，最好穿带后跟的棉质拖鞋。

产后洗澡宜用淋浴

新妈妈可以进行简单的淋浴，但时间不要超过 5 分钟。洗澡时要用弱酸性的沐浴用品清洁外阴，但注意阴道内不要冲洗。要穿宽松的棉质内裤，避免阴部的不适。洗完头发要尽快擦干，不要受凉。顺产的新妈妈在分娩后 2~5 天便可开始洗澡，但不应早于 24 小时。剖宫产的新妈妈视伤口恢复情况而定，伤口恢复得快的话，两个星期后就可以淋浴了。

夏季洗澡注意事项

夏季天气炎热，加上产后大量出汗，新妈妈身上总是汗淋淋的，很不舒服，因此要经常洗澡。如果是正常分娩，产后 2~5 天就可以淋浴了，以免身上起热痱。

即便是夏季，新妈妈洗浴的水温也不可过低，否则会反射性地引起呼吸道痉挛，引起感冒。而且，新妈妈皮肤的毛孔全部张开着，身体受冷也易引起肌肉和关节酸痛。水温以 37℃ 左右为宜，每次洗 5~10 分钟，洗后尽快擦干，以免受凉。

冬季洗澡注意事项

如果新妈妈在冬季坐月子，在洗澡之前，最好先打开浴霸，将室内温度调整至 26℃ 后再进入。

洗澡时，特别要注意水温适宜，最好在 37℃ 左右或稍热一点，严防风寒乘虚而入。洗浴时间不要过长，以 5~10 分钟为宜。洗澡时避免大汗淋漓，因出汗太多易致头昏、晕闷、恶心欲吐等。

洗头时可用指腹按摩头皮，洗完后及时擦干，再用干毛巾包一下，避免湿头发挥发带走大量的热量，使头皮血管受到冷刺激后骤然收缩引起头痛。另外还要注意头发未干不要结辫、睡觉。

金牌月嫂的月子经

不管是新妈妈在哪个季节坐月子，洗浴后都要马上擦干身上的水，及时穿上衣服，避免体表水分蒸发过快，使热量在短时间内散发，导致身体受凉。

洗澡应避免空腹，防止发生低血糖，引起头晕等不适。

月子里洗头的注意事项

新妈妈千万不要被"月子不能洗头"的旧习俗所束缚，产后新妈妈新陈代谢较快，汗液增多，会使头皮及头发变得很脏，产生不良气味，新妈妈应按时洗头，保持个人卫生。洗头还可促进头皮的血液循环，增加头发生长所需要的营养物质，避免脱发、发丝断裂或分叉，使头发更密、更亮。实践证明，产后正常洗头好处很多。

产后洗头需要注意的事项：

❶ 洗头时应注意清洗头皮，用手指轻轻按摩头皮。

❷ 洗头的水温一定要适宜，冷暖平衡即可，最好在 37℃ 左右。

❸ 产后头发较油，也容易掉发，因此不要使用太刺激的洗发用品。

❹ 洗完头后及时把头发擦干，并用干毛巾包一下，洗完后可用吹风机吹干，避免着凉。

❺ 洗完头后，在头发未干时不要扎起头发，也不可马上睡觉，避免湿邪侵入体内，引起头痛、脖子痛。

可用牛角梳梳头

每天梳梳头，新妈妈会觉得心情舒畅、轻快。不过，新妈妈梳头时宜选择合适的梳子，最好使用牛角梳，因为牛角本身就是中药的一种，其牛角制品也就有一定的保健作用。且牛角梳坚固不易变形，梳齿排列均匀、整齐、间隔宽窄合适，不疏不密；梳齿的尖端比较钝圆，梳头时不会损伤头皮而引起头皮不适。不宜选用塑料及金属制品的梳子，这类梳子易引起静电，不易梳理且容易使头发干枯、断裂。

新妈妈梳头应每天早晚进行，不要等到头发很乱，甚至打结了才梳，这样容易造成头发和头皮损伤。

头发打结时，从发梢梳起，可用梳子蘸 75% 的酒精梳理。最好是湿发、干发用不同的两把梳子，减少细菌的传播。再则，新妈妈常使用的梳子要经常清洗，这样做既保养梳子又有利健康。

金牌月嫂的月子经

新妈妈梳头的时候千万不可用力，要顺着头皮一下一下地轻轻梳理，不仅可以清洁头发，还能起到按摩头皮的作用。

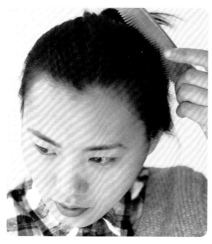

用牛角梳沿头皮从前向后梳，力度不用太大。

发梢打结时可用梳子蘸 75% 的酒精梳理。

产后刷牙有讲究

旧习俗说"新妈妈在坐月子时，不能刷牙漱口"，从今天的医学角度来看，这种说法毫无科学根据。坐月子不刷牙、不漱口，会给新妈妈和宝宝的健康带来危害。

新妈妈在月子里一定要刷牙、漱口，因为在妊娠期牙齿就已面临很多健康问题，变得脆弱。如果月子期间不刷牙、不漱口，那么口腔内细菌会大量繁殖，食物的残渣经过发酵、产酸会腐蚀牙齿，导致各种牙病，如龋齿、牙周炎、齿龈脓肿等。但是，新妈妈刷牙、漱口时需要采用以下方法：

❶ 产后前3天采用指漱。指漱就是把食指洗净或在食指上缠上纱布，然后把牙膏挤于手上，用手指充当刷头，像正常刷牙一样在牙齿上来回、上下擦拭，最后再用手指按压齿龈数遍。

❷ 产后第4天可使用牙刷刷牙。新妈妈最好选用软毛牙刷，使用时不会伤害牙龈。刷牙动作要轻柔，宜采用"竖刷法"。

❸ 刷牙最好用温开水。产后新妈妈身体较虚弱，对寒冷刺激较敏感，宜用温开水刷牙，以防对牙齿及齿龈冷刺激过大。早晚各刷1遍，每次吃完东西要及时漱口。

产后洗脸用温水

做个美丽的新妈妈就从每天洗脸开始。产后新妈妈洗脸最好用温水，尤其是油性或干性皮肤的人。因为对油性皮肤者来说，温水能使皮肤的毛细血管扩张、毛孔开放，促进代谢物排出，利于清洁皮肤；干性皮肤的人用温水可使其避免过冷或过热对皮肤的刺激。

每晚用热水洗脚

每晚舒舒服服地用热水泡泡脚，会疏散新妈妈一天的疲惫。对坐月子的新妈妈来说，热水洗脚既保健又解乏，在经历了分娩过程以后已筋疲力尽了，因此每天用热水泡泡脚，对恢复体力，促进血液循环，解除肌肉和神经疲劳大有好处。在洗脚的同时，不断地按摩足趾和足心，效果会更好。再次提醒新妈妈，洗脚绝不能用凉水。

每次洗脸前，新妈妈一定要把手洗干净，防止细菌沾染到脸上。

产后心理护理

产后新妈妈的生活发生了巨大的变化，很多新妈妈一时难以接受从而产生了抑郁情绪，进而影响到泌乳和自身的恢复，因此新妈妈一定要学会自我调整，时刻保持乐观的情绪。新妈妈心情好，宝宝自然也能健康、快乐地成长。

产后三大心理变化

新妈妈生产后，不仅身体发生很大变化，其心理同样也会出现巨大的变化，一般说来，产后新妈妈心理的变化可分为三种：

精美的杂志或画册，让新妈妈忧郁的心情变得明朗起来。

产后郁闷

其发生概率为 50%~70%。在产后 3~6 天发生，主要症状包括：情绪不稳、失眠、独自哭泣、郁闷、注意力不集中、焦虑等。

较严重的产后郁闷

有些新妈妈会出现较为严重的郁闷症状，表现为郁郁寡欢、食欲不振、无精打采，甚至常常会无缘无故地流泪或对前途感觉毫无希望，更有甚者会有罪恶感产生、失去生存欲望，这就是比较严重的产后抑郁症了。

产后精神病

少数抑郁症新妈妈，会出现严重沮丧、幻觉、妄想、轻生等症状，此时新妈妈已患有"产后精神病"。

新妈妈抑郁对宝宝的影响

产后新妈妈的心理状况对宝宝的健康有很大影响，主要表现为三个方面：

影响宝宝身体发育

心情低落、睡眠紊乱，会使新妈妈奶水质量下降，从而影响宝宝的生长发育。

影响宝宝智力发育

新妈妈若长期抑郁，会在无形中使宝宝精神紧张或郁闷，从而使智力不能得到充分开发。

影响宝宝情感发育

如果新妈妈患上产后抑郁症，势必会影响母婴关系，使宝宝缺乏感情上的交流。宝宝感受不到来自妈妈的温暖，容易使宝宝产生情感上的饥饿和性格上的不完善，对他们情感的发育很不利。

产后心理自我小测试

　　一些新妈妈容易在产后有一些情绪变化，比如空虚、失落、激动、失眠、焦虑、头痛、食欲减少、注意力变差等心理和生理的症状，一般称之为"产后抑郁症"。但是，不是所有的产后坏心情都是产后抑郁，新妈妈可以通过下面的方法来测试一下自身的心理状况。

❶ 胃口很差，什么都不想吃，体重有明显下降或增加。

❷ 晚上睡眠不佳或严重失眠，因此白天昏昏欲睡。

❸ 经常莫名其妙地对丈夫和宝宝发火，事后有负罪感，不久又开始发火，如此反复。

❹ 几乎对所有事物失去兴趣，感觉到生活没有希望。

❺ 精神焦虑不安，常为一点小事而恼怒，或者几天不言不语、不吃不喝。

❻ 认为永远不可能再拥有属于自己的空间。

❼ 思想不能集中，语言表达紊乱，缺乏逻辑性和综合判断能力。

❽ 有明显的自卑感，常常不由自主地过度自责，对任何事都缺乏自信。

❾ 不止一次有轻生的念头。

　　以上九种情况如果新妈妈有超过5项（包含5项）的回答为"是"，并且这种情况已持续了2周，那么新妈妈很有可能患上了"产后抑郁症"，需要及时去医院治疗。

　　如果新妈妈有3~4项的回答为"是"，那么新妈妈要特别警惕了，虽然你还没有患上"产后抑郁症"，但是因为不良情绪积累较多，很有可能导致抑郁症的发生，需要及时寻找途径释放不良情绪。

　　如果新妈妈回答"是"的情况少于2项，则表示只是暂时的情绪低落，只要适时调整，很快就能摆脱坏心情的困扰。

金牌月嫂的月子经

　　如果以上9道题的答案只有1项答"是"，但是这种情况每天都出现且超过两周，那么新妈妈也要警惕自己是否遭遇了产后抑郁。

深吸一口气再慢慢吐出，想象着与自然融为一体，可让心情平静。

产后爱发脾气怎么办

产后有的新妈妈经常无缘无故地发脾气，不仅影响新妈妈身心健康，不良的家庭氛围也会对宝宝的成长产生不利影响。新妈妈可以尝试以下方法来转移自己的注意力。

可以和别的妈妈多多交流育儿心得和产后恢复心得。

请月嫂或家人一起照顾宝宝，不要企图一个人应对这些杂事。

把宝宝的变化和坐月子的感想记录下来，当你翻阅并记录这些的时候，你的心情会随之平静下来。

产后心理减压法

产后新妈妈可通过心理减压法从自身彻底摆脱忧郁、抑郁的困扰。

首先，新妈妈要学会自我调整，自我克制，树立哺育宝宝的信心，并试着从可爱的宝宝身上寻找快乐。

跟着音乐的节奏，轻轻活动身体，让身心彻底放松。

其次，新妈妈要尽可能地多休息，多吃水果和蔬菜，不要吃太多巧克力和甜食，少吃多餐，身体健康可使情绪稳定。

再次，尽可能地多活动，如散步、做较轻松的家务等，但避免进行重体力运动。

另外，不要过度担忧，应学会放松。不要强迫自己做不想做或可能使你心烦的事。把你的感受和想法告诉新爸爸，让他与你共同承担并分享。这样你会渐渐恢复信心，增强体力，愉快地面对生活。

听音乐可稳定情绪

音乐作为一种艺术，反映的是人类的思想，好的音乐会净化人的灵魂，使情感得到升华。好的音乐也会稳定人的情绪，驱散心中的不快，忘记身体的疲劳。音乐在医学和心理学治疗领域取得的惊人效果，让人们相信音乐有祛病健身的效果。

新妈妈在感到情绪焦躁不安的时候，不妨听一首或是抒情，或是平静，或是欢快的音乐，让自己放松，采取一种自己感觉最舒服的姿势，静静地聆听，忘掉烦恼和不快，让自己的情感充分融入到音乐的美妙意境中去。

家人多理解

分娩后的新妈妈常常会焦虑、烦躁，甚至对家人也可能有过分的语言或行为，严重者可变成产后抑郁症。这种状态大约有半数以上的新妈妈都可能出现。新爸爸和家人可能认为新妈妈实在娇气、事儿多、不理解，从而产生家庭矛盾。其实这种反常行为是身体激素变化的结果，并不是娇气所造成的。家人也应该多多体谅，毕竟此阶段的新妈妈比较劳累，产后不适、哺乳宝宝会导致神经比较敏感。因此对新妈妈应该理解，避免不必要的精神刺激，体贴地照顾新妈妈，以维护新妈妈良好的情绪，保持欢乐的气氛，这也是为宝宝创造一个良好家庭环境的重要条件。

新爸爸全力伺候好月子

坐月子是新妈妈的特权，所以新爸爸要积极地协助，伺候好月子。不管是否有工作在身，只要回到家里，都要承担大部分的家务活和照顾宝宝的工作。以下细则供参考，看看新爸爸是否可以胜任：

❶ 新爸爸要体贴新妈妈。新妈妈在哺乳期内的休息、情绪、营养等都很重要。

❷ 新爸爸在"月子"里应尽量避免应酬，积极主动给小宝宝洗澡、换尿布，并承担其他家务。

❸ 小宝宝夜里经常会哭闹，新爸爸应帮助照料，避免新妈妈产生委屈情绪。

❹ 在哺乳期时，新爸爸要为新妈妈揉揉腰背，轻轻按摩乳房，适时鼓励和赞美，准备温水擦拭吮吸后的乳房，或者帮宝宝换洗尿布，这些事都会让新妈妈从心里感到温暖。

❺ 日用品的摆放需要新爸爸多留心，要便于新妈妈的使用和拿放。

金牌月嫂的月子经

有一点需要新爸爸特别注意的就是，如果公公婆婆因为宝宝的性别而对新妈妈有不满情绪时，新爸爸一定要站在新妈妈这边，极力劝慰父母打消这种顾虑，此时新爸爸的理解和关爱对新妈妈来说胜过一切。

丈夫无微不至的关爱，是新妈妈远离产后抑郁的法宝。

产后恢复与瘦身

怀孕期间，为了让宝宝发育得更好，新妈妈是大吃特吃，时间在不知不觉中流逝，赘肉也是在不知不觉中增长。产后适度的运动不仅有助于健康，还能帮助新妈妈早点找回昔日曼妙的身姿。

产后运动重塑漂亮妈妈

对于女人而言，孕育新生命是一个幸福的过程，但初为人母的新妈妈，由于怀孕及分娩的原因，腰、腹、臀的肌肉会变得松弛。因此，必须及早进行产后运动，使相关的肌群恢复弹性，做个"漂亮妈妈"！同时，产后及早运动还能帮助新妈身体内部器官和生殖器官尽快恢复，但是新妈妈产后运动最好听从医生的建议，适可而止。

产后应循序渐进做运动

产后进行适当运动可以促进血液循环，增加热量消耗，防止早衰，恢复生育前原有的女性美。但要注意时间不可过长，运动量不可过大。应根据个人的体质情况逐渐延长时间，适当加大运动量，逐步由室内走向户外。运动形式可选择散步、快步走、保健操等。动作幅度不要太大，用力不要过猛，要循序渐进，量力而行。

产后合理控制体重

有些新妈妈不注意饮食，盲目地补，再加上不爱运动，体重反而比怀孕的时候还重。这样既对自身健康不利，又影响了美观。其实，新妈妈适量补充营养就好，不要暴饮暴食，特殊补品宜少不宜多。

另外，新妈妈还要注意多活动、多运动，这是合理控制体重的有效方式，不仅有利于促进血液循环，加速恶露排出，也有利于各器官功能的恢复，还为新妈妈体形恢复奠定了良好的基础。

如果恢复得很好，新爸爸可在天气晴朗时陪新妈妈到户外散散步。

金牌月嫂的月子经

产后运动要以不感觉累为前提，千万不可为了早日恢复身材就操之过急，这样反而会影响新妈妈的身体健康。

适合顺产妈妈产后第一天的运动

新妈妈应该在分娩后第一天适当地活动，有助于产后早日恢复。顺产新妈妈 6~12 个小时就能起床做轻微活动，可以做下面这些简单的运动：

❶ 屈伸手指：从大拇指开始，依次握起，再从小指依次展开。两手展开、握起，再展开、握起，反复进行。

❷ 深呼吸：用鼻子缓缓地深吸一口气，再从口中慢慢地吐出来。

❸ 转肩运动：屈臂，手指触肩，肘部向外侧翻转。返回后，再向相反方向转动。

❹ 背、腕伸展运动：两手在前，握住，向前水平伸展；手仍向前伸展，背部用力后拽。两肘紧贴耳朵，两手掌压紧，坚持 5 秒，放松；两手在前相握，手掌相外，同样向前伸展，握掌，坚持 5 秒，放松。

新妈妈运动前的准备

因为新妈妈的身体比较虚弱，在分娩过程中一些器官可能受到不同程度的损伤，所以不能贸然开始运动，做好充足的准备才能达到产后运动的目的，否则会适得其反。

与医生沟通

新妈妈可以就产后运动事宜与医生提前沟通，看新妈妈是否适合做运动、适合做什么运动、什么时间适合做运动等，让医生帮助新妈妈制定一个产后运动计划。

饮食准备

空腹运动容易发生低血糖。所以，如果新妈妈选择在早晨运动，建议早起30分钟为自己准备适合的早餐。运动前应以富含优质蛋白质的食物为主，这样可以帮助你在运动中消耗更多的脂肪。鸡蛋、脱脂牛奶、鱼、豆腐等都是蛋白质的上好来源。

衣着准备

最好穿纯棉的宽松衣裤，另外准备一条干毛巾，以备运动时及时擦汗。

新妈妈运动时不可缺水

新妈妈要大量喝水，如果活动量增加，新妈妈一定要多喝水以防脱水，尤其哺乳期间，通常每天至少喝8杯水，或是低脂奶，但是含糖饮料要少喝。新妈妈运动前、后30分钟都要喝一杯温开水，可补充因运动缺失的水分。

忌过早做剧烈运动

新妈妈在产后适当运动，对体力恢复和器官复位有很好的促进作用，但一定要根据自身状况适量运动。有的新妈妈为了尽快减肥瘦身，就加大运动量，这么做是不合适的。大运动量或较剧烈的运动方式会影响尚未康复的器官恢复，尤其对于剖宫产的新妈妈，激烈运动还会影响剖宫产刀口的愈合。再者，剧烈运动会使人体血液循环加速，使肌体疲劳，运动后反而没有舒透感，不利于新妈妈的身体恢复。

金牌月嫂的月子经

新妈妈即使是做轻微运动，也最好在每次运动结束后调整呼吸节奏，步行甩臂，并做一些放松活动，不宜马上休息。

运动后要调整呼吸，调匀气息。

双手合并放在胸前，放松身体。

轻拍胳膊和双腿，防止肌肉酸痛。

适合剖宫产妈妈产后 15 天的运动

剖宫产的新妈妈在选择产后运动项目时，应考虑手术后身体状况，虽然产后运动项目与自然分娩相差不大，但产后运动进行的程度与时间应与自然分娩者不同。

剖宫产新妈妈产后 2 周后可以做些简单的运动，帮助新妈妈提早恢复肌力，增强腹肌和盆底肌肉的功能。锻炼时应循序渐进地进行，千万不可操之过急，以免扯裂腹部的伤口。

❶ 胸式呼吸：仰卧，双手放在胸前，慢慢吸气，呼气，每次 10 遍，每日 3 次。

> ### 金牌月嫂的月子经
>
> 采用剖宫产的新妈妈，应在拆线后开始适当活动。阴道或会阴有伤口的新妈妈，在伤口恢复以前避免进行影响盆底组织恢复的运动，应从轻微的活动开始，逐步进行运动。

❷ 腹式呼吸：仰卧，双手放在腹部，吸气至下腹部凸起；然后呼气，做深呼吸。每次 10 遍，每日 3 次。

❹ 踝部运动：脚趾做伸曲运动，然后脚腕左右交替转动。每次 10 遍，每日 3 次。

❸ 抬头运动：吸气，慢慢抬头，抬头静止一会儿，呼气，慢慢放下。不要使膝盖弯曲，每次 10 遍，每日 3 次。

双臂尽量抬高保持60秒，锻炼手臂、颈肩的同时还可预防新妈妈胸部下垂。

产后防止胸部下垂

一般来说，新妈妈乳房都会松弛下垂，为恢复乳房弹性，防止胸部下垂，新妈妈可以在产后第三天做做这个动作，能帮助维持胸部肌肉的坚实。

手平放身体两侧，将两手向前直举，双臂向左右伸直平放，然后上举至两掌相遇，再将双臂身后伸直平放，再回前胸后回原位，重复5~10次。

新妈妈如何瘦腰腹

新妈妈月子期间，正处于身体最虚弱状态的恢复期，不建议进行瘦腰腹尝试。产后大约6周后，再根据自身的情况来酌情考虑瘦腰腹计划，产后6个月可以加大瘦腰腹力度，可适度增加运动。下面的按摩运动，就是一个适合新妈妈的瘦腰腹运动。

以肚脐为中心，在腹部打一个问号，沿问号按摩，先右侧，后左侧，各按摩30~50下，每天按摩1次。

双手伸直，互相交叠摆在肚脐上，大拇指交叉，掌心对准肚脐，右手在下。稍稍吸气后收小腹，双手顺时针揉36圈，可以帮助肠胃蠕动，摩擦时会感觉到手掌和腹部微热。

新妈妈打造腿部线条

很多新妈妈产后腿部曲线变得难看，产后瘦腿成了新妈妈的主要任务之一。下面就给新妈妈介绍几个小动作，但是不管哪个动作，都最好在新妈妈身体恢复好，能承受的情况下再进行，千万不可操之过急。

脚尖向外站立，腰背挺直，双腿叉开微曲，与肩同宽；双手放在大腿上；右腿向前伸，脚尖向上，腿尽量向下压，连做5次。随后换左腿，重复5次。

双拳紧握向前，双腿微曲下蹲，上半身仍然保持挺直，连做5次。

仰卧垫上，双手叉腰，左腿弯曲，右腿伸直由下至上，连做5次。随后换左腿，重复5次。

金牌月嫂的月子经

其实，产后最佳的瘦身秘方就是哺乳，因为母乳喂养有助于消耗母体的热量，促进子宫复原，从而有助于新妈妈体形的健美。

新妈妈产后健美瘦身操

  产后适当的运动可以预防或减轻因分娩造成的身体不适及器官功能失调，还可协助恢复以往健美的体形。下面专门介绍一套产后健美瘦身操，顺产新妈妈可从第 7 天开始锻炼；会阴有侧切口的新妈妈可从产后第 15 天开始；剖宫产新妈妈可从产后 42 天开始锻炼。新妈妈可根据自己的身体情况，逐渐增加运动量，以不疲劳为限。

❶ 上肢运动：平躺，两手臂左右平伸，上举至胸前，两掌合拢，然后保持手臂伸直放回原处。每日做 2 遍。

❸ 小腿运动：将双腿并拢站好，双手放于脑后，弯曲左腿，右腿向外侧伸直，左右腿交替进行各 5 次。

❷ 大腿运动：平躺，将一条腿尽量抬高与身体垂直，放下后另一腿做相同动作。以后可练习将两腿同时举起。每日做 2 遍。

预防月子病

人们常说"在坐月子时，如果没有保养好身体，就容易落下病根"，这话是对的。产后，是女性身体最脆弱的时候，非常容易受疾病侵扰。在坐月子期间，新妈妈时刻都要注意疾病的预防和治疗。

重视血性恶露不尽

产后新妈妈要格外关注恶露的变化，这是产后恢复的一个重要指征。正常恶露一般持续2~4周。剖宫产比通过阴道分娩排出的恶露要少些，但如果血性恶露持续2周以上、量多或恶露持续时间长且为脓性、有臭味，可能出现了细菌感染，要及时到医院检查；如果伴有大量出血，子宫大而软，则显示子宫可能恢复不良，也需马上就诊。新妈妈可以通过以下方法尽快排出恶露：

食用猪肝、红糖均有助于排出恶露。

大小便后用温水冲洗会阴，擦拭时务必记住由前往后擦拭或直接按压拭干。

冲洗时水流不可太强或过于用力冲洗，否则会造成保护膜破裂。

建议采用卫生护垫，不宜用棉球，刚开始约1小时更换一次，之后两三个小时更换即可。更换卫生护垫时，由前向后拿掉，以防细菌污染阴道。

猪肝汤中加几颗枸杞子，有利于排出恶露，还有温补之效。

轻松应对产后尿潴留

一般新妈妈在产后4~6小时内就能自己排尿，如果产后6小时以上不能自动排尿，而且膀胱涨满，称为尿潴留。尿潴留可使胀大的膀胱妨碍子宫收缩，会引起产后出血。因此，必须积极采取措施：

便盆内放热水，坐在上面熏或用温开水缓缓冲洗尿道口周围，以解除尿道括约肌痉挛，刺激膀胱收缩。

小腹部放热水袋或用艾条熏灸，以刺激膀胱收缩。

中药蝉衣9克，煎汤一大碗，顿服，有利尿作用。

肌内注射卡巴可0.25毫克，促使膀胱收缩。

要是采用上述办法，仍然排不出小便，那就只能在严密消毒准备下，插导尿管导尿，并且保留导尿管数天。

乳头皲裂怎么办

很多新妈妈刚刚开奶，奶量不多，乳头娇嫩，没能正确掌握哺乳的姿势。另外，初生的宝宝，不懂心疼妈妈，会用劲吸吮。这些都有可能导致乳头皲裂。防治乳头皲裂的措施有：

每次喂奶最好不超过20分钟，还要采取正确的哺乳方式，让宝宝含住乳头和大部分乳晕。

对于已经裂开的乳头，可以每天使用熟的食用油涂抹伤口处，促进伤口愈合。

喂奶前妈妈可以先挤一点奶出来，这样乳晕就会变软，有利于宝宝吮吸。

当乳头破裂时，可先用晾温的开水洗净乳头破裂部分，接着涂以10%鱼肝油铋剂，或复方安息香酊，或用中药黄柏、白芷各等分研末，用香油或蜂蜜调匀涂患处。

如果乳头破裂较为严重，应停止喂奶24~48小时；或使用吸奶器和乳头保护罩，使宝宝不直接接触乳头，也可直接挤到消过毒的干净奶瓶里来喂宝宝。

缓解乳房胀痛

新妈妈在分娩后的3~6天，乳房会逐渐开始充血、发胀，分泌大量乳汁。如果乳汁分泌得过多，又未能及时排出，就会出现乳房胀痛。较长时间的奶胀容易引起乳腺炎，应该及时处理。

缓解乳房胀痛的最好办法就是让宝宝频繁吸吮，如果宝宝实在吃不下，也要用吸奶器将母乳吸出来存在特定容器里。

也可用双手将乳汁挤出。洗净双手，握住整个乳房，轻轻从乳房四周向乳头方向进行按摩挤压，挤压时，如果发现某个部位奶胀现象更明显，可进行局部用力挤压。

用清凉的毛巾或者把冰块用毛巾包裹进行冷敷，可以减轻肿痛，同时可以阻止细菌侵入引发炎症。冷敷不会让乳腺组织萎缩，因此不必担心因此而减少乳汁的分泌量。

金牌月嫂的月子经

正确的哺乳方法，可减少乳头皲裂，让宝宝更畅快地吃奶。除非乳头皲裂严重，否则不要轻易放弃给宝宝哺乳。

哺乳前，妈妈可先挤点奶出来，让乳房柔软。

哺乳时，要让宝宝含住大部分乳晕。

乳头破裂严重，就要将乳汁挤到奶瓶里喂宝宝了。

促进子宫收缩，预防产后出血

产后少量出血比较正常，但经常大量出血就要引起重视了。产后出血的原因有子宫收缩乏力、胎盘滞留、凝血功能障碍、软产道裂伤等，其中最常见的原因是子宫收缩乏力，多见于产程过长、胎儿过大、分娩时思想紧张、过度疲劳等。对有可能出现子宫收缩乏力的，在胎儿娩出后宜立即注射缩宫素，促进子宫收缩。

在柠檬汁里加适量蜂蜜或香蕉泥，可中和柠檬的酸涩味。

不要忽视产后便秘

新妈妈产后饮食正常，但大便几日不解或排便时干燥疼痛，难以解出者，称为产后便秘，或称产后大便难，这是最常见的产后病之一，严重影响新妈妈身体健康，而且，还会影响乳汁质量。新妈妈要引起重视。

为了避免排便时用力过度，应该多喝水、多吃新鲜水果、多吃全麦或糙米食品。

常下床行走，维持轻度的运动量，帮助肠胃蠕动，促进排便。

避免忍便或延迟排便的时间，以免导致便秘。

避免食用咖啡、茶、辣椒、酒等食物。

学会休息，渐渐将其他工作转交给家庭其他成员，将自己的生物钟调至和宝宝一致。

多吃蔬果，预防产后痔疮

很多新妈妈产后饱受便秘或痔疮之痛，这是由于坐月子期间，新妈妈大肠蠕动速度减慢，很容易便秘，形成便秘后，就很易诱发成痔疮，令新妈妈很痛苦。预防产后痔疮，尤其要在饮食上加以注意。不宜过于精细，应多食含膳食纤维丰富的蔬果，如木耳、海带、冬菇、竹笋、胡萝卜、芹菜、菠菜、香蕉、柠檬等，可有效防止产后痔疮。

金牌月嫂的月子经

俗话说："活动、活动，大便自通。"新妈妈既要卧床休息，又要保持一定的活动，如：散步、产后康复操。每天晨起做适当的提肛动作，并养成定时排便的习惯。

低盐少脂防水肿

水肿不是怀孕期的"专利"，产后新妈妈同样也得预防水肿。产后一方面由于子宫变大，影响血液循环而引起水肿，另一方面，受到黄体酮的影响，身体代谢水分的状况变差，身体也会出现浮肿。那么，如何改善新妈妈产后水肿？

可以采用补肾活血的食疗方法，去除身体水分。

薏仁红小豆汤：可以强健肠胃、补血，也可以达到通乳的效果。

红糖生姜汤：用生姜连皮用水煮，有活血的效果，也可预防感冒。

同时，饮食要清淡，不可太咸，还要补充脂肪较少的瘦肉或鱼类，以免加重肾脏负担发生水肿。

产后失眠自疗法

很多新妈妈都有这样的烦恼，那就是自从生了宝宝后就再也没睡过好觉了。产后失眠，一般是因为母体在怀孕期间会分泌出许多保护胎儿成长的激素，但在产后72小时之内逐渐消失，改为分泌供应母乳的激素造成的。而在产后由于种种不安，如头疼、轻微忧郁、无法入睡、容易掉发、半夜给宝宝喂奶等导致的失眠，将会给新妈妈带来很大的痛苦。

❶ 要养成睡前不胡思乱想的习惯。睡觉之前，不要胡思乱想，听一些曲调轻柔、节奏舒缓的音乐。

❷ 睡前两小时内不能进食，否则会影响消化系统的正常运作。同时少喝含有咖啡因的饮料，如咖啡、汽水等，忌吃辛辣或口味过重的食物。

❸ 睡觉前喝杯牛奶，可帮助睡眠，另外，喝杯蜂蜜水也可以，有镇静的作用。

❹ 适当做些身体锻炼，做点简单的运动，如散步，每晚睡觉前用热水泡泡脚等，都可以促进睡眠。

❺ 调理好自己的心情最为重要，心情调理好了，失眠的症状也就会自然消失。

❻ 如果白天小睡时间过长或过晚，降低了夜晚想睡的需求，则应避免过长的午睡或傍晚的小睡。睡前可以洗个温水澡。晚上应按摩或用轻柔的体操来帮助放松。

一杯暖暖的牛奶，让新妈妈美美地睡个好觉。

积极预防产褥感染

产褥感染轻则影响新妈妈的健康、延长产后恢复时间，重则危及生命，因此必须做好预防工作。应积极治疗急性外阴炎、阴道炎及宫颈炎，避免胎膜早破、滞产、产道损伤及产后出血。有胎膜早破或产前出血等感染因素存在时，必须住院治疗，用抗生素预防。分娩时避免不必要的阴道检查及肛诊。注意产后卫生，保持外阴清洁，尽量早些下床活动，以使恶露尽早排出。

及时抢救中暑的新妈妈

夏季坐月子的新妈妈如捂得太严、居室不通风，可能导致中暑。中暑后如不及时抢救，病情就会进一步恶化，体温可升至40℃以上，出现呕吐、腹泻、昏迷、面色苍白、脉搏加速、血压下降及瞳孔缩小，最终出现呼吸衰竭。一旦发现新妈妈中暑，首先要迅速改善环境，通风，降低室温。然后用冰水或自来水擦拭全身，并在额头、腋窝、腹股沟等血管浅表处放置冰袋，同时对其扇风以尽快降低体温。如果病情改善不明显，则需送医院抢救。

保持心情舒畅防产后脱发

大概有超过三分之一的新妈妈在坐月子时会有不同程度的脱发现象。这是因为怀孕以后，体内雌激素增多，使得头发的寿命延长了，而到分娩以后体内雌激素恢复正常，那些"超期服役"的头发就开始脱落。

为减少脱发，哺乳期应当心情舒畅，保持乐观情绪，注意合理饮食，多吃富含蛋白质的食物，多吃新鲜蔬菜、水果及海产品、豆类、蛋类。另外，还要经常用牛角梳梳头，或有节奏地按摩头皮；经常洗头，以刺激头皮，促进头部的血液循环。

按摩腹部化解产后疼痛

不管是自然生产还是剖宫产，新妈妈产后都有子宫收缩的疼痛，为了让子宫收缩成正常大小，即使疼痛也要经常按摩腹部。因为这样有利于促进子宫收缩和恶露的排出。新爸爸可以帮助新妈妈沿同一方向按摩腹部，注意力度一定要轻柔。

如果腹痛时间过长，就要考虑腹膜炎的可能，需及时就诊。

产后虚弱巧补养

生产过后新妈妈如果出现精神不振、面色萎黄、不思饮食，就要考虑是否是产后虚弱了。产后虚弱如果不及时治疗，会使新妈妈的身体留下健康隐患，也不利于照顾宝宝。因此新妈妈除了饮食外，还要加强身体锻炼，尽早让身体恢复精力。具体办法如下：

注意休息，保证睡眠，放松心态，及时和家人沟通，寻求协助。

选择一些富含铁的食品或者是促进血液循环的营养品，如动物内脏、海带、紫菜、菠菜、芹菜、西红柿、桂圆、红枣、花生红衣等。

多吃含有优质蛋白质的食物，如鸡、鱼、瘦肉、动物肝脏等；牛奶、豆类也是新妈妈必不可少的补养佳品。

产后第 2 周，剖宫产妈妈伤口基本愈合，可以适量进补。抓住这个时机补充营养，身体就会恢复得比较快。

产后痛风重在预防

新妈妈想恢复得更健康，就一定不可忽视产后痛风，这会影响新妈妈以后的生活。

产后痛风的特点是：产后肢体酸痛、麻木，局部红肿、灼热，类似于风湿、类风湿引起的关节痛。产后痛风有三种类型：

血虚型：遍身关节疼痛，肢体酸楚、麻木，头晕心悸，舌淡红、少苔，脉细无力。

风寒型：周身关节疼痛，屈伸不利，或痛无定处，或疼痛剧烈，宛如锥刺，或体肿、麻木，步履艰难，遇热则舒服，舌淡、苔薄白，脉细缓。

肾虚型：产后腰肌酸痛，腿脚乏力，或足跟痛，舌淡红、苔薄，脉沉细。

专家建议痛风重在日常预防，切不可麻痹大意。

产后要注意保暖，不可经受风寒，尤其要注意头部和脚部的保暖。

室内要通风透气，但不可直接吹风，即使在夏天也不要贪凉。

居室环境要保持干燥洁净，避免潮湿。

金牌月嫂的月子经

月子期间，新妈妈除了哺乳外，最重要的任务就是调养，如果新妈妈因为过多地照顾宝宝而每天疲惫不堪，就得不偿失了，产后虚弱最好采用食疗的方法来治愈。

鱼肉：鱼肉易消化，是月子期补虚的必备品。

桂圆：桂圆可补气血，适合体虚的新妈妈食用。

牛奶：每天一杯牛奶，既补钙又能补充蛋白质。

健康月子餐

新妈妈知道吗？坐月子可是女人一生中改变体质、调理身体的最佳时机。新妈妈分娩会消耗大量体力，产后往往出现气血两虚、体质下降的症状。新妈妈无需担心，由金牌月嫂为你完全解读月子里的饮食原则，让你在月子里吃出健康，吃出女人魅力。

分娩当天吃什么

分娩当天是十分忙乱的，家人很可能忽略了孕妈妈的饮食，其实，分娩不但是一次重大的体力活动，也是对意志的考验。分娩当天的饮食安排非常重要，家人一定要事先做好准备。自然分娩分为三个产程，在分娩的过程中，产妇除了放松思想，和医生做好配合外，还要注意分娩当天三个产程的饮食安排。

第一产程

很多产妇都觉得分娩前后不用吃东西，这是不对的。尤其是在第一产程，应该鼓励产妇适当进食。第一产程是指从子宫有规律收缩开始，到子宫颈口开全为止，也叫"宫颈扩张期"，所用时间最长，

一般来说，初产妇需要 9~12 小时，经产妇所需时间会短一些，大概需要 6~8 小时。由于宫缩会引起阵痛，常常使产妇不能好好休息，同时也会影响产妇的正常进食。整个过程需要消耗大量体力，因此在这个阶段，产妇无论如何都要多补充能量，积攒体力，好让宝宝顺利出生。

饮食指导

这个阶段适合吃一些流质或者半流质食物，如面条、稀饭、鸡蛋羹、蛋糕等柔软、易消化的食物。但要少食多餐，每次不必吃太多，同时注意不可吃油炸、烧烤、肥肉等油性大的食物。

鸡蛋蒸食更易消化，适合临产前食用。

第二产程

第二产程是指从子宫口开全到胎儿娩出的这段时间，也叫"胎儿娩出期"。初产妇需要一两个小时，经产妇一般数分钟即可完成，但也有长达 1 小时者。这一产程子宫收缩频繁，强烈的子宫收缩有时会压迫胃部，引起恶心、呕吐。加上到了胎儿娩出的阶段，需要消耗更多的体力，此时产妇更需要补充一些能迅速被消化吸收的高能量食物。

饮食指导

这一阶段适合吃一些果汁、藕粉、红糖水等好消化的食物。值得一提的是巧克力，这种高能量的食物能快速补充体力，有利于帮助胎儿娩出。此阶段注意不可过于饥渴，也不可暴饮暴食。

第三产程

第三产程是指从胎儿娩出后到胎盘娩出这一段时间，也叫"胎盘娩出期"。当胎儿娩出 10 分钟左右，新妈妈会感到轻微的阵痛，并且感觉到子宫的位置向上移，这时胎盘从子宫中剥离出来。这个过程一般不超过半小时，时间比较短，可以不进食。

饮食指导

分娩结束 2 小时后可以进食半流质食物以补充消耗的能量。如果产程延期，可以补充糖水、果汁等以免脱水或体力不支。

金牌月嫂的月子经

产后新妈妈的第一餐应首选易消化、营养丰富的流质食物，花生红枣小米粥是新妈妈分娩后最好的食物，能帮助新妈妈快速恢复体力，增进食欲。

软软的巧克力蛋糕更适合第二产程体力即将耗尽时食用。

月子里的饮食宜忌

　　刚刚经历难忘的分娩，新妈妈身体变得异常脆弱，急需通过饮食调理，将身体虚耗的能量从饮食上补回来。但是月子里吃什么，怎么吃成了新妈妈面临的最大困扰，新妈妈不必顾虑重重，我们为你全面、科学解读坐月子饮食宜忌。

别急着第一天就喝下奶汤

　　母乳是新妈妈给宝宝最好的礼物。为了尽快下乳，许多新妈妈产后第一天就开始喝催乳汤。但是，过早喝催乳汤，乳汁下来过快过多，新生儿又吃不了那么多，容易造成浪费，还会使新妈妈乳腺管堵塞而出现乳房胀痛。

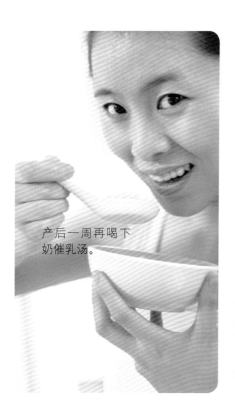

产后一周再喝下奶催乳汤。

　　若喝催乳汤过迟，乳汁下来过慢过少，也会使新妈妈因无奶而心情紧张，泌乳量会进一步减少，形成恶性循环。一般在分娩后一周再给新妈妈喝鲤鱼汤、猪蹄汤等下乳的食物。

不要急于吃老母鸡

　　炖上一锅鲜美的老母鸡汤，是很多家庭给新妈妈准备的滋补品。其实，产后哺乳的新妈妈不宜立即吃老母鸡。因为老母鸡肉中含有一定量的雌激素，产后马上吃老母鸡，就会使新妈妈血液中雌激素的含量增加，抑制催乳素发挥作用，从而导致新妈妈乳汁不足，甚至回奶。此时最好是选择用公鸡炖汤。

剖宫产要先排气再吃东西

　　选择剖宫产的妈妈千万要牢记一点：在术后6小时内应当禁食。因为手术容易使肠受刺激导致肠道功能受到抑制，肠蠕动减慢，肠腔内有积气，因此，术后会有腹胀感。手术6小时后可饮用一杯温开水，以增强肠蠕动，促进排气。新妈妈排气后才可进食，饮食可由流质慢慢过渡到半流质，食物宜富有营养且容易消化。可以选择鸡蛋汤、粥、面条等，然后依新妈妈的体质，再将饮食逐渐恢复到正常。

金牌月嫂的月子经

　　剖宫产新妈妈在6个小时内不能进食，即便口渴也不能喝水。家人可以用一根棉棒蘸上温开水，将新妈妈的嘴唇滋润一下。

　　另外，剖宫产手术时肠道不免要受到刺激，胃肠道正常功能被抑制，肠蠕动相对减慢。若多食会使肠内代谢物增多，在肠道滞留时间延长，这不仅可造成便秘，而且产气增多，腹压增高，不利于新妈妈的康复。

红糖含杂质较多，要煮开后再食。

产后喝红糖水别超过 10 天

坐月子喝红糖水是我国的民间习俗。红糖既能补血，又能供给热量，是两全其美的佳品。红糖水非常适合产后第一周饮用，不仅能活血化瘀，还能补血，并促进产后恶露排出。但红糖水也不能喝得时间过长，久喝红糖水对新妈妈子宫复原不利。新妈妈喝红糖水的时间，一般控制在产后 7~10 天为宜。

根据体质进补

按体质进补才是最聪明的妈妈。新妈妈生产后，身体很虚弱，需要适当进补。但是新妈妈进补不能盲目进行，应讲究科学性。体质较好、体形偏胖的新妈妈，月子期间应减少肉类的摄取，肉和蔬果的摄取比例宜维持在 2∶8 左右；体质较差、体形偏瘦的新妈妈，可根据情况将这个比例调整到 4∶6 左右；患有高血压、糖尿病的新妈妈则应多食用蔬果、瘦肉等低热量、高营养的食物。

保持饮食多样化

很多新妈妈觉得好不容易生下了宝宝，终于可以不用在吃上顾虑那么多了，赶紧挑自己喜欢吃的进补吧。殊不知，不挑食、不偏食比大补更重要。因为新妈妈产后身体的恢复和宝宝营养的摄取均需要大量各类营养成分，新妈妈千万不要偏食和挑食，要讲究粗细搭配、荤素搭配等。这样既可保证各种营养的摄取，还可提高食物的营养价值，对新妈妈身体的恢复很有益处。

产后要适度饮食

新妈妈适度饮食，不仅为漂亮，更为健康。产后过量的饮食，让新妈妈体重增加，对于产后的恢复并无益处。如果是母乳喂养，宝宝需要的乳汁很多，食量可以比孕期稍增，最多增加 1/5 的量；如果乳汁正好够宝宝吃，则与孕期等量；如果没有奶水或是不能母乳喂养的新妈妈，食量和非孕期差不多就可以。

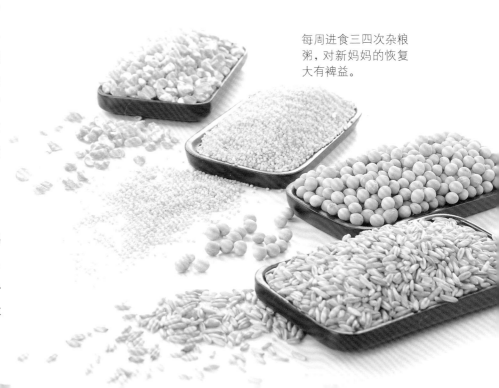

每周进食三四次杂粮粥，对新妈妈的恢复大有裨益。

清淡饮食防浮肿

不少新妈妈总觉得分娩后身上仍肿肿的，这是因为在怀孕晚期时，体内会比孕前多出 40% 的水分，要到分娩后一段时间才可将多余水分全部代谢出去。所以医生一般都会嘱咐新妈妈月子里饮食要清淡，尽量少吃盐，避免过多的盐分使水分滞留在身体里，造成水肿。口味重的新妈妈，应提高警惕，饮食中尽量不要有腌制食物，也可以把家里的钠盐换成钾盐，因为钾盐的口感比钠盐稍微重一些，既保证了食物的口感，又不会令新妈妈摄入过多的盐分。

多吃优质蛋白助泌乳

给宝宝哺乳的感觉，简直妙不可言，这是每一位新妈妈的最切实、由衷的体会。但是当新妈妈遭遇母乳不足的危机时，就要摄入更多的营养，特别是优质蛋白，因为蛋白质对乳汁的分泌有很大的助益。一些中西药虽有催乳功效，但营养作用不大，甚至会有副作用。所以，新妈妈缺奶时，应以饮食为主来催乳。足量、优质的蛋白质摄入对哺乳期妈妈和宝宝都非常重要，新妈妈每天应增加摄取优质蛋白质 20 克，达到每日 85 克。鱼、禽、蛋、瘦肉、大豆类食物是优质蛋白质的最好来源。

蔬菜、水果不可少

传统习俗不让新妈妈在月子里吃蔬菜水果，怕损伤脾胃和牙齿。其实，新鲜蔬菜和水果中富含维生素、矿物质、果胶及足量的膳食纤维，海藻类还可提供适量的碘。这些食物既可增加食欲、防止便秘、促进乳汁分泌，还可为新妈妈提供必需的营养素。因而，产后禁吃或少吃蔬菜水果的错误观念应该纠正。水果要放至常温或用温水泡一会再吃。

金牌月嫂的月子经

许多新妈妈喜欢饭后吃水果。然而，饭后马上吃水果或甜食，容易中断、阻碍消化过程，使胃内食物腐烂，被细菌分解成酒精及醋等一类的东西，产生气体，有碍于营养物质的进一步消化吸收。因此，水果应在饭后半小时再吃为宜。

新妈妈每日食用水果以 200~250 克为宜。

坐月子不能"忌盐"

过去，在月子里吃的菜和汤里不能放盐，要"忌盐"，认为放盐就会没奶，这是不科学的。盐中含有钠，如果新妈妈限制钠的摄入，影响了体内电解质的平衡，那么就会影响新妈妈的食欲，进而影响新妈妈泌乳，甚至会影响到宝宝的身体发育。但盐吃多了，就会加重肾脏的负担，对肾不利，会使血压升高。因此，月子里的新妈妈不能过多吃盐，也不能"忌盐"。

坐月子最好每天吃六餐

新妈妈月子期间，可以享受特别的优待——每天吃六餐。在早中晚三餐中间加餐两次，再加一顿夜宵。少食多餐是新妈妈坐月子最重要的饮食原则，既保证了自身的健康，也能保证母乳的充足。早餐可多摄取五谷杂粮类食物，午餐可以多喝些滋补的汤，晚餐要加强蛋白质的补充，加餐则可以选择桂圆粥、荔枝粥等。

早餐前半小时喝温开水

新妈妈在经过一晚上的睡眠以后，流失了大量的水分，尤其是哺乳期妈妈，晚上要照顾宝宝哺乳，除了晨起喝水以外，早餐前饮水也是非常重要的。

哺乳妈妈早餐前半小时喝一杯温开水，不仅可以润滑胃肠，让消化液得到足够分泌，刺激胃肠蠕动，防止哺乳期妈妈发生痔疮和便秘，还可以促进泌乳量。但最好不要喝饮料，否则不仅不能有效补充体内缺少的水分，还会增加身体对水的需求，造成体内缺水。

红枣核桃粥，
补血又健脑。

适量吃些补血和益智的食物

新妈妈分娩后半个月，伤口基本愈合了，此时是进补的最好时机，多吃一些补血食物，调理气血。如黑豆、紫米、红小豆、猪心、红枣、西红柿、苋菜、木耳、荠菜等。

哺乳期妈妈还要多吃些有利于婴儿健脑益智的食物。健脑益智的食物有：燕麦、莜麦、小米、大豆、黑豆、红枣、核桃、莲子、松子、桂圆、芝麻、花生、虾、贝类、海带等。

新妈妈必吃的 28 种食物

　　新妈妈要想身体恢复得快，同时为宝宝储存好充足的"粮袋"，那么以下这些食物就是新妈妈调理、恢复、进补的好帮手。

产后第一周

鲫鱼：鱼类，尤其是鲫鱼，富含丰富的蛋白质，可以提高子宫的收缩力，还具有催乳作用。

薏仁：薏仁非常适合产后身体虚弱的新妈妈食用，可帮助子宫恢复，尤其对排恶露效果好。

香菇：香菇对促进人体新陈代谢、提高机体适应力和免疫力有很大作用，适合新妈妈食用。

鸡蛋：鸡蛋中的蛋白质和铁含量很丰富，可以帮助新妈妈尽快恢复体力，预防贫血。新妈妈每天吃一两个鸡蛋就足够了。

红皮鸡蛋和白皮鸡蛋营养相差无几，不用过分强调蛋壳颜色。

香油：香油中丰富的不饱和脂肪酸，能够促使子宫收缩和恶露排出，帮助子宫尽快复原，同时还能避免新妈妈发生便秘之苦。

南瓜：南瓜内的果胶有很好的吸附性，可以帮助新妈妈清除体内的毒素。

牛奶：新妈妈适当喝奶有助于保持母乳中钙的含量相对稳定。

产后第二周

红小豆：产后的新妈妈总是觉得自己的身体有点"虚胖"，红小豆就可以帮助新妈妈消除肿胀感，排除身体里多余的水分，会使身体更轻松，也会让心情变得更舒畅。

芝麻：具有滋养肝肾、养血的作用。芝麻中含有丰富的不饱和脂肪酸，非常有利于宝宝大脑的发育。

猪蹄：猪蹄是传统的催乳食品，还含有丰富的大分子胶原蛋白质，可促进皮肤细胞吸收和贮存水分，使皮肤细润饱满、平整光滑。

鸭肉：鸭肉性凉，富含蛋白质、脂肪、铁、钾等多种营养素，有清热凉血的功效。

核桃：核桃含有多种营养素及钠、镁、锰、铜、硒等多种矿物质，有健脑益智、延年益寿之功，属高级滋补品，适合新妈妈食用。

莲藕：新妈妈多吃莲藕，能及早清除腹内积存的淤血，增进食欲，帮助消化，促进乳汁分泌。

产后第三周

乌鸡：乌鸡是补气虚、养身体的上好佳品。食用乌鸡对于产后贫血的新妈妈有明显功效。

虾：虾的通乳作用较强，并且富含磷、钙，对产后乳汁分泌较少、胃口较差的新妈妈很有补益功效。

牛肉：牛肉有补中益气、滋养脾胃、强健筋骨的功效，适宜于产后气短体虚、筋骨酸软的新妈妈食用。

山药：山药有益气补脾、帮助消化、缓泻祛痰等作用，是新妈妈滋补及食疗佳品。

栗子：栗子味甘性温，含有脂肪、钙、磷、铁和多种维生素，还有补肾的功效，对于产后肾虚腰痛、四肢疼痛的新妈妈能起到很好的补益作用。

红枣：红枣具有益气养肾、补血养颜、补肝降压、安神、治虚劳损之功效。产后气血两亏的新妈妈，坚持用红枣煲汤，能够补血安神。

菠菜：菠菜可补血止血，利五脏，通血脉，止渴润肠，滋阴平肝，助消化。

香蕉：香蕉含丰富的可溶性纤维，也就是果胶，可帮助消化，调整肠胃机能，防治便秘。

产后第四周

牛蒡：牛蒡富含人体所需要的多种矿物质、氨基酸，可帮助排便，降低体内胆固醇，减少毒素、废物在体内积存。

鳝鱼：鳝鱼有很强的补益功能，特别对身体虚弱、产后妈妈更为明显，它有补气养血、温阳健脾、滋补肝肾、祛风通络等功能。

猪肝：肝脏是动物体内储存养料和解毒的重要器官，含有丰富的营养物质，具有营养保健功能，是最理想的补血佳品之一。

桂圆：桂圆可补心脾、补气血、安神，适用于产后体虚、气血不足或营养不良、贫血的新妈妈食用。

枸杞子：枸杞子的营养成分丰富，是营养完全的天然食物。有促进和调节免疫功能，保肝和抗衰老的药理作用，具有不可代替的药用价值。

猪肚：猪肚含有蛋白质、脂肪、碳水化合物、维生素及钙、磷、铁等，适用于气血虚损、身体瘦弱者食用。

橘子：橘子含大量维生素，尤以维生素 C 最多，并含丰富的钙质，既营养又美容。

金牌月嫂的月子经

即便适宜新妈妈吃的食物，也不可一连几天只吃同一种食物，或一次食用过多，应勤变换食物的种类和烹调的花样。

表皮略带黑斑的香蕉是自然成熟的，口感最好。

新妈妈不宜吃的 10 类食物

十月怀胎，一朝分娩，产后新妈妈身体很虚弱，所以在饮食上要尤为注意，那么坐月子不能吃什么呢？新妈妈需要十分留意，对自己和宝宝不利的食物要尽量少吃或不吃。

寒凉性食物

由于分娩消耗大量体力，产后新妈妈体质大多是虚寒的。中医主张月子里的饮食要以温补为主，忌食寒凉食物，否则易伤脾胃，使得产后气血不足难以恢复。需注意，寒凉性食物不仅包括物理意义上冷的食物，如冷饮和冰箱储藏食物等，还包括物性寒凉的食物：海鲜类食物包括螃蟹、蛤蜊、田螺等；水果类食物包括柿子、柿饼、猕猴桃、西瓜等；蔬菜类食物包括马齿苋、木耳菜、莼菜、草菇、苦瓜等。

过硬的食物

月子饮食的烹饪方式以细软为主，饭要煮得软一点，少吃油炸的食物，少吃坚硬带壳的食物。产后由于体力透支，很多新妈妈会有牙齿松动的情况，过硬的食物一方面对牙齿不好，另一方面也不利于消化吸收。

产后至少半年内，新妈妈都要尽量远离油炸、熏烤食物。

辛辣燥热食物

产后新妈妈大量失血、出汗，加之组织间液也较多地进入血循环，故机体阴津明显不足，而辛辣燥热食物均会伤津耗液，使新妈妈上火、口舌生疮，大便秘结或痔疮发作，而且会通过乳汁使宝宝内热加重。因此，新妈妈应忌食韭菜、大蒜、辣椒、胡椒、小茴香、酒等。

油腻食物

由于产后新妈妈胃肠蠕动较弱，过于油腻的食物如肥肉、动物油等应尽量少食，以免引起消化不良。同样道理，油炸食物也较难消化，新妈妈也不应多吃。并且，油炸食物的营养在油炸过程中已经损失很多，比面食及其他食物营养成分要差，多吃并不能给新妈妈增加营养，倒是增加了胃肠负担。

味精及鸡精

味精和鸡精的主要成分是谷氨酸钠，会通过乳汁进入宝宝体内，与宝宝血液中的锌发生特性结合，生成不能被吸收利用的谷氨酸，随尿液排出体外。这样会导致宝宝缺锌，出现味觉减退、厌食等症状，还会造成智力减退、生长发育迟缓、性晚熟等不良后果。新妈妈在整个哺乳期或至少在3个月内应少吃或不吃味精、鸡精。

零食

怀孕前的女性如有吃零食的习惯，在哺乳期内要谢绝零食的摄入。大部分的零食都含有较多的盐和糖，有些还是高温油炸过的，并加有大量的食用色素。对于这些零食，新妈妈要退避三舍，避免食用后对宝宝的健康产生不必要的危害。

大麦制品

大麦及其制品，如大麦芽、麦芽糖等食物有回乳作用，所以准备哺乳或产后仍在哺乳期的妈妈应忌食。欲断乳新妈妈可以将大麦作为回乳食品。

火腿

火腿本身是腌制食品，含有大量亚硝酸盐类物质。亚硝酸盐摄入过多，人体不能代谢，蓄积在体内，会对健康产生危害。新妈妈吃太多的火腿，火腿里的亚硝酸盐就会进入到乳汁里，并进入宝宝体内，会给宝宝的健康带来潜在的危害。所以，新妈妈不宜多吃火腿。

易过敏食物

如果是产前没有吃过的东西，尽量不要给新妈妈食用，以免发生过敏现象。在食用某些食物后如出现全身发痒、心慌、气喘、腹痛、腹泻等现象，应想到很可能是食物过敏，要立即停止食用这些食物。食用肉类、动物内脏、蛋类、奶类、鱼类应烧熟煮透，降低过敏风险。

茶、咖啡和碳酸饮料

哺乳期间新妈妈不能喝浓茶。因为茶中的鞣酸被胃黏膜吸收，进入血液循环后，会产生收敛的作用，从而抑制乳腺的分泌，造成乳汁的分泌障碍。

咖啡会使人体的中枢神经兴奋。虽然没有证据表明它对宝宝有害，但也同样会引起宝宝神经系统兴奋。

碳酸饮料不仅会使哺乳妈妈体内的钙流失，它含有的咖啡因成分还会使宝宝吸收后烦躁不安。

哺乳期妈妈最好也不要喝花草茶，以免影响乳汁质量。

金牌月嫂的月子经

新妈妈为了小宝宝的健康，在怀孕和哺乳期间都不要饮茶，不过坐月子期间，新妈妈可使用茶水漱口，可以预防牙龈出血，同时能杀灭口腔中的细菌，保持口腔清洁。

哺乳妈妈的下奶食谱

母乳是宝宝最好的食物,其优越性是任何食品都无法替代的。可是有些新妈妈产后乳汁很少甚至没有,这就需要适当食用一些下奶的汤粥或菜品来调理。不过这些下奶食物最好在产后5~7天后再食用为好。

明虾炖豆腐

明虾炖豆腐

营养功效:虾营养丰富,易消化,通乳作用较强,对产后乳汁分泌不畅的新妈妈尤为适宜。

原料:鲜虾4只,豆腐1块,姜片、盐各适量。

做法:❶ 将虾线挑出,去掉虾须,洗净备用;豆腐切成小块,备用;❷ 锅内放水置火上烧沸,将虾和豆腐块放入烫一下,盛出备用;❸ 锅置火上,放入虾、豆腐块和姜片,煮沸后撇去浮沫,转小火炖至虾肉熟透,拣去姜片,放入盐调味即可。

黄豆猪蹄汤

黄豆猪蹄汤

营养功效:黄豆是豆类中营养价值最高的,含有维生素及蛋白质。猪蹄可以健胃,活血脉。乳汁分泌不足时可食用。

原料:猪蹄1个,黄豆2小匙,葱段、姜块、盐各适量。

做法:❶ 猪蹄刮洗干净,顺猪爪劈成两半;黄豆洗净,泡涨;❷ 砂锅置火上,倒入清汤,放入猪蹄、黄豆、葱段、姜块;❸ 大火烧开,撇去浮沫,小火煨炖至猪蹄软烂,加入盐调味即可。

乌鱼通草汤

乌鱼通草汤

营养功效:通草味甘,能清热利湿,通经下乳;乌鱼能促进伤口愈合,此汤适于产后饮用。

原料:乌鱼1条,通草4根,葱段、盐各适量。

做法:❶ 将乌鱼去鳞及内脏,洗净;❷ 将乌鱼和通草、葱段、盐、适量水共炖熟即可。

木瓜烧带鱼

营养功效：木瓜有助于哺乳期妈妈分泌乳汁。带鱼含有多种营养成分，可以缓解脾胃虚弱、消化不良。

原料：带鱼1条，木瓜半个，葱段、姜片、醋、盐、酱油各适量。

做法：❶ 将带鱼去鳞、内脏，洗净，切长段；生木瓜洗净，削去瓜皮，除去瓜核，切块；❷ 砂锅置火上，加入适量清水及带鱼、木瓜块、葱段、姜片、醋、盐、酱油一同煨至带鱼熟透即可。

木瓜烧带鱼

葱烧海参

营养功效：此道菜可滋阴，补血，通乳，主治产后体虚缺乳。

原料：海参1个，葱段、白糖、水淀粉、酱油、盐、熟猪油各适量。

做法：❶ 海参去肠，切成大片，用开水汆烫一下捞出；❷ 锅中放入熟猪油，烧到八成热放入葱段，炸成金黄色捞出，葱油倒出一部分备用；❸ 将留在锅中的葱油烧热，放入海参，调入酱油、白糖、盐，用中火煨熟海参，调入水淀粉勾芡，淋入备用的葱油即可。

葱烧海参

清蒸大虾

营养功效：此菜具有良好的催乳作用，适用于产后肾虚乏力、乳汁少、乳汁不通的新妈妈食用。

原料：大虾9只，葱花、姜、高汤、醋、酱油、香油各适量。

做法：❶ 大虾洗净，去脚、须、皮，择除虾线；姜洗净，一半切片，一半切末；❷ 将大虾摆在盘内，加入葱花、姜片和高汤，上笼蒸10分钟左右；拣去姜片，然后装盘；❸ 用醋、酱油、姜末和香油兑成汁，供蘸食。

清蒸大虾

非哺乳妈妈的营养食谱

因为身体因素或其他原因不能实现母乳喂养的新妈妈也不要郁郁寡欢，觉得对宝宝有愧疚。其实，只要尽快把身体调理好，多给宝宝一些爱和关怀，宝宝一样会健康成长。

绿豆薏仁粥

绿豆薏仁粥

营养功效：绿豆对于产后因不能哺乳而压力过大的新妈妈来说是很好的调节剂，与薏仁同煮，还能提高新妈妈的身体免疫力。

原料：绿豆、薏仁各 1 把，红枣 2 颗，红糖适量。

做法：❶ 薏仁及绿豆洗净后用清水浸泡隔夜；❷ 将浸泡的水倒掉，绿豆和薏仁放入锅内，加入新的水，用大火烧开后改用小火煮至熟透；❸ 加入红糖；将红枣核去掉，剪成几瓣放在上面点缀即可。

香酥鸽子

香酥鸽子

营养功效：鸽肉味咸性平，入肝、肺、肾经，有滋阴益气、祛风解毒、补血养颜等功效，尤其适宜产后新妈妈调理之用。

原料：鸽子 1 只，姜片、葱、盐各适量。

做法：❶ 鸽子收拾干净；葱洗净，只取葱白，切段；❷ 用盐揉搓鸽子表面，鸽子腹中加葱白、姜片，上笼蒸烂，拣去姜片、葱白段；❸ 锅中放油烧热，放入鸽子炸至表皮酥脆，捞出装盘即可。

蜂蜜香油饮

蜂蜜香油饮

营养功效：蜂蜜含有葡萄糖、果糖及多种酶类，还含有维生素 B_1、维生素 B_6 等，而且不含有脂肪。对新妈妈来讲，蜂蜜可以预防口干渴、贫血、便秘等症状；同时，对于不能由宝宝吸吮而促进子宫收缩的非哺乳新妈妈来说，适当食用香油可帮助子宫的收缩和恶露的排出。

原料：蜂蜜 1 汤匙，香油适量。

做法：❶ 将一杯开水凉温，滴入香油和蜂蜜，混合均匀；❷ 按个人口味加入适量温开水即可。

西红柿菠菜面

营养功效：软软的面条很容易消化，西红柿稍酸的口感，可以帮助产后新妈妈增强食欲，还能缓解新妈妈不能哺乳的郁闷心情。

原料：西红柿、鸡蛋各 1 个，菠菜 2 棵，切面 100 克，盐适量。

做法：❶ 西红柿洗净，切块；鸡蛋打匀成蛋液；菠菜洗净，切段；❷ 油锅烧热，放入西红柿块煸出汤汁，加入清水，烧开后把面条放入，煮至完全熟透；❸ 将蛋液淋入锅内，再放入菠菜段，大火再次煮开，出锅时加盐调味即可。

西红柿菠菜面

三丁豆腐羹

营养功效：此汤羹含丰富的植物蛋白和动物蛋白、钙和维生素 C，营养全面，可让产后新妈妈尽快恢复元气。

原料：豆腐 1 块，鸡胸肉 50 克（体积如鸡蛋大小），西红柿半个，豌豆 1 把，盐、香油各适量。

做法：❶ 将豆腐切成块，在开水中煮 1 分钟；❷ 鸡胸肉洗净，西红柿洗净、去皮，都切成小丁；❸ 将豆腐块、鸡肉丁、西红柿丁、豌豆放入锅中，大火煮沸后，转小火煮 20 分钟；❹ 出锅时加入盐、淋上香油即可。

三丁豆腐羹

燕麦南瓜粥

营养功效：燕麦中含有丰富的亚油酸，可预防和缓解新妈妈产后浮肿、便秘，还可改善血液循环，舒缓情绪；同时含有的钙、磷、铁、锌等矿物质有预防骨质疏松、补钙的功效。和南瓜同食，还是天然、健康的产后瘦身佳品。

原料：燕麦、大米各 1 小把，南瓜 1 块，盐适量。

做法：❶ 南瓜洗净削皮，切成小块；大米洗净，用清水浸泡半小时；❷ 将大米放入锅中，加水适量，大火煮沸后换小火煮 20 分钟；然后放入南瓜块，小火煮 10 分钟；再加入燕麦，继续用小火煮 10 分钟；❸ 熄火后，加入盐调味。

燕麦南瓜粥

第1周

产后最初几天, 新妈妈似乎对"吃"提不起兴趣。因为身体虚弱, 胃口很差。如果盲目地补, 只会适得其反。所以, 在产后第1周里, 适宜清淡的饮食, 本阶段的重点是开胃而不是滋补, 新妈妈胃口好, 才能食之有味, 吸收才能好。

本周健康月子餐推荐

时间	早餐		午餐		晚餐		加餐
	1	2	1	2	1	2	
第1天	欧式蛋饼 花生红枣小米粥	玉米粥 三丁豆腐羹	西红柿菠菜面 紫菜鸡蛋汤	炒馒头 花生红小豆汤	什菌一品煲 生化汤	三鲜面 香菇油菜	木瓜牛奶露
第2天	什锦面	全麦面包 银鱼炒鸡蛋	干贝灌汤饺	虾仁蛋炒饭 生化汤	牛奶银耳小米粥 西红柿炖豆腐	海带排骨汤 黄花菜炒鹅肝	豆浆 苹果
第3天	胡萝卜小米粥 鸡蛋	什锦果汁粥 鸭蛋	牛奶馒头 西红柿炒鸡蛋	家常饼 木耳炒黄花	豆包 芹菜牛肉丝	馒头 冬笋拌豆芽	冬瓜蜂蜜汁
第4天	三鲜馄饨	芝麻烧饼 苋菜粥	西葫芦饼 小米鸡蛋红糖粥	扁豆焖面 槐花猪肚汤	鸡蛋玉米羹 炒红薯泥	陈皮海带粥 香芹拌豆角	鲜奶炖木瓜雪梨
第5天	紫菜包饭 牛奶红枣粥	牛奶 拌豆腐干丝	玉米香菇虾肉饺	鸡蛋挂面 麻油鸡	椒盐小饼 胡萝卜肉丝汤	香菇鸡肉粥 清炒茼蒿	红枣粥
第6天	南瓜包 红薯粥	烤鱼青菜饭团 牛奶核桃粥	海鲜炒饭 鱼头海带豆腐汤	米饭 牛肉炒菠菜	豆腐馅饼 香菇油菜	二米粥 孜然羊肉	麦麸饼干 橘子
第7天	糯米粥 鹌鹑蛋	无花果粥 蔬菜沙拉	玉米面发糕 双菇炖鸡	油菜香菇包 核桃仁炖乌鸡	菠菜鱼片汤 蜂蜜香油饮	黑豆什锦饭 冬瓜汤	酸奶草莓露

花样主食

豆腐馅饼

营养功效：豆腐含有丰富的植物蛋白和钙，容易消化，热量也低，其温和滋润的功效能逐渐唤起新妈妈的食欲。

原料：豆腐 1 块，面粉 1 碗，白菜半棵，姜末、葱末、盐各适量。

做法：❶ 豆腐抓碎；白菜切碎，挤出水分；豆腐、白菜加入姜末、葱末、盐调成馅；❷ 面粉加水调成面团，分成 10 等份，每份擀成汤碗大的面皮；菜分成 5 份，两张面皮中间放一份馅；用汤碗一扣，去掉边沿，捏紧即成馅饼；❸ 将平底锅烧热下适量油，将馅饼煎成两面金黄即可。

豆腐馅饼

什锦面

营养功效：什锦面营养均衡，含有多种营养素和膳食纤维，易于消化，适合新妈妈产后初期调养身体、恢复体力之用。

原料：面条 100 克，肉馅 50 克，香菇 1 朵，豆腐 1 块，鸡蛋 1 个，胡萝卜半根，海带 1 片，香油、盐、鸡骨头各适量。

做法：❶ 鸡骨头和洗净的海带一起熬汤；香菇、胡萝卜洗净，切丝；豆腐洗净切条；❷ 把肉馅加入蛋清后揉成小丸子，在开水中烫熟；❸ 把面条放入熬好的汤中煮熟，放入香菇丝、胡萝卜丝、豆腐条和小丸子及盐、香油即可。

什锦面

玉米香菇虾肉饺

营养功效：虾肉软烂易消化、吸收，可滋阴、强体、养胃，同时，虾肉饺中丰富的动、植物食材还能大大提升新妈妈的食欲。

原料：饺子皮 20 个，猪肉 150 克，香菇 3 朵，虾 5 只，玉米棒半个，胡萝卜 1/4 根，盐、泡香菇水各适量。

做法：❶ 玉米棒剥取玉米粒；胡萝卜切小丁；香菇泡后切小丁；去壳的虾切丁；❷ 将猪肉和胡萝卜一起剁碎；放入香菇丁、虾丁、玉米粒，搅拌均匀；再加入盐、泡香菇水制成肉馅；❸ 饺子皮包上肉馅，下入开水锅中煮熟即可。

玉米香菇虾肉饺

胡萝卜小米粥

炖补汤粥

胡萝卜小米粥

营养功效：小米熬粥营养价值丰富，有"代参汤"之美称，与胡萝卜同食，可滋阴养血，同时，胡萝卜和小米同煮后特有的甜香能令没有食欲的新妈妈胃口好转。

原料：小米 1/3 碗，胡萝卜半根。

做法：❶ 小米淘洗干净；胡萝卜洗净，切丁；❷ 将小米和胡萝卜放入锅中，加适量清水，大火煮沸，转小火煮至胡萝卜绵软，小米开花即可。

什菌一品煲

什菌一品煲

营养功效：这款汤有利于放松产后新妈妈因疼痛而变得异常敏感和紧绷的神经，具有很好的开胃作用。

原料：猴头菌、草菇、平菇、香菇各 2 朵，白菜心 1 个，葱段、盐各适量。

做法：❶ 香菇洗净，切去蒂部；平菇洗净，切去根部；猴头菌和草菇均洗净，切开；白菜心掰成小棵；❷ 锅内放入葱段，加清水或素高汤大火烧开，再放入香菇、草菇、平菇、猴头菌、白菜心转小火炖煮 10 分钟即可。

生化汤

生化汤

营养功效：这款生化汤具有活血散寒的功效，可缓解产后血瘀腹痛、恶露不净，对于脸色青白、四肢不温的虚弱新妈妈，有很好的调养温补功效。但气虚血少所致的恶露不绝者忌用。

原料：当归、桃仁各 15 克，川芎 6 克，黑姜 10 克，甘草 3 克，大米 100 克，红糖适量。

做法：❶ 大米淘洗干净，用清水浸泡 30 分钟，备用；❷ 将当归、桃仁、川芎、黑姜、甘草和水以 1:10 的比例小火煎煮 30 分钟，去渣取汁；❸ 将大米放入锅内，加入煎煮好的药汁和适量清水，熬煮成粥，调入红糖，温热服用。

营养菜品

西红柿炒鸡蛋

营养功效：鸡蛋营养全面，西红柿富含矿物质和维生素，西红柿炒鸡蛋可开胃健食，非常适合产后新妈妈食用。

原料：西红柿 1 个，鸡蛋 2 个，白糖、盐、水淀粉各适量。

做法：❶ 西红柿洗净去蒂后，切成块；鸡蛋打入碗内，加入适量盐搅匀，用热油炒散盛出；❷ 将油放入锅内，热后投入西红柿和炒散的鸡蛋，搅炒均匀，加入白糖、盐后再炒几下，然后用水淀粉勾芡即可。

西红柿炒鸡蛋

芹菜牛肉丝

营养功效：此菜具有益气、补血的功效，牛肉和芹菜都含有丰富的铁质，非常适合产后贫血的新妈妈食用，其鲜嫩的颜色也能让新妈妈胃口大开。

原料：牛肉 150 克（约半碗），芹菜 2 棵，酱油、水淀粉、白糖、盐、葱末、姜丝各适量。

做法：❶ 牛肉洗净，切小丁，加酱油、水淀粉腌制 1 小时左右；芹菜择叶，去根，洗净，切段；❷ 热锅放油，下姜末和葱丝煸香，然后加入腌制好的牛肉和芹菜段翻炒，可适当加一点清水；❸ 最后放入适量盐和白糖，出锅即可。

芹菜牛肉丝

双菇炖鸡

营养功效：这道菜可以强健筋骨，滋补强体，对产后体虚的新妈妈有很大帮助。

原料：鸡胸肉 150 克（约半碗），鸡蛋 1 个，金针菇、鲜香菇、盐、水淀粉各适量。

做法：❶ 鸡胸肉切细长条，加盐腌约 20 分钟，蘸蛋液后再加入水淀粉拌匀；❷ 金针菇去除根部，洗净；鲜香菇洗净，切片；❸ 炒锅放油置火上，烧至七成热，先放入鸡胸肉翻炒，再加入金针菇、香菇及所有调味料拌炒，熟软后即可。

双菇炖鸡

第2周

本周大部分新妈妈都能出院回家了，家里环境舒适、熟悉，新妈妈逐渐有了胃口，虽然饮食中仍然以清淡的饮食为主，但现在可以适当地选择一些进补的食物，以滋补肠胃，促进恢复，可以适当有选择地进行营养的补充。

本周健康月子餐推荐

时间	早餐		午餐		晚餐		加餐
	1	2	1	2	1	2	
第8天	红枣花生紫米粥 鸭蛋	虾仁馄饨 鸡蛋	西葫芦饼 菠菜鱼片汤	米饭 肉片炒蘑菇	米饭 枸杞红枣蒸鲫鱼	胡萝卜小米粥 什菌一品煲	木瓜牛奶饮 香蕉
第9天	胡萝卜肉包 阿胶核桃仁红枣羹	三鲜包 奶汁烩生菜	蛋黄炒饭 豆角烧荸荠	牛奶米饭 红烧鳝鱼	南瓜牛腩饭 虾皮小油菜	燕麦粥 圆白菜牛奶羹	牛奶银耳小米粥
第10天	蘑菇鸡丝面	山药红小豆粥 鸡蛋羹	牛肉水饺 西芹炒百合	红薯饼 芦笋西红柿	三鲜水饺 通草炖猪蹄	黑豆饭 芦笋口蘑汤	黄瓜汁 苹果
第11天	红枣莲子粥 鹌鹑蛋	小米红糖粥 西葫芦饼	花卷 鸡肉冬瓜汤	牛肉饼 溜苹果鱼片	紫菜包饭 蘑菇肉丝汤	炒饼丝 海米冬瓜	橙汁酸奶
第12天	油菜小米粥 鸡蛋	牛奶馒头 西红柿蛋花汤	米饭 木须肉	小米蒸排骨 鲈鱼豆腐汤	什锦面 海带豆腐汤	西葫芦包 奶油白菜	花生红小豆汤
第13天	豆包 香干芹菜	二米粥 三丁豆腐羹	肉丝汤面 香椿炒鸡蛋	阳春面 黄瓜腰果虾仁	海鲜粥 山药香菇鸡	黑芝麻杏仁粥 明虾炖豆腐	黑芝麻糊 全麦面包
第14天	蛋炒饭 紫米粥	三鲜馄饨 香菜拌黄豆	家常饼 枸杞松子爆鸡丁	花生排骨粥 芦笋西红柿	糯米香菇饭 猪蹄茭白汤	芝麻核桃粥 阿胶炖牛腩	百合莲子桂花饮

花样主食

紫菜包饭

紫菜包饭

营养功效：紫菜能补充钙质，改善新妈妈贫血状况，紫菜还含有一定量的甘露醇，可辅助治疗产后水肿，是新妈妈恢复、滋补身体的佳品。

原料：糯米 1/4 碗，鸡蛋 1 个，紫菜 1 张，火腿、黄瓜、沙拉酱、米醋各适量。

做法：❶ 黄瓜切条，加米醋腌制；糯米蒸熟，倒入米醋，拌匀晾凉；❷ 将鸡蛋摊成饼，切丝；❸ 将糯米平铺紫菜上，再摆上黄瓜条、火腿条、鸡蛋丝、沙拉酱，卷起，切 3 厘米厚片即可。

什锦果汁饭

什锦果汁饭

营养功效：有利于提升乳汁质量，对宝宝成长十分有利，同时，软糯的奶香果汁饭对本周新妈妈调理肠胃大有助益。

原料：大米 1 碗，鲜牛奶 1 袋（250 毫升），苹果丁、菠萝丁、蜜枣丁、葡萄干、青梅丁、碎核桃仁、白糖、番茄沙司、水淀粉各适量。

做法：❶ 将大米淘洗干净，加入牛奶、水焖成饭，加白糖拌匀；❷ 将番茄沙司、苹果丁、菠萝丁、蜜枣丁、葡萄干、青梅丁、碎核桃仁放入锅内，加水和白糖烧沸，加水淀粉，制成什锦沙司，浇在米饭上即成。

牛奶馒头

牛奶馒头

营养功效：不喜欢喝牛奶的新妈妈可尝试这道主食来补钙，增加乳汁中钙的含量，并且还能帮助新妈妈恢复胃动力。

原料：面粉 1 碗，鲜牛奶 1 袋（250 毫升），白糖、发酵粉各适量。

做法：❶ 面粉放入盆中，逐渐加入牛奶、白糖、发酵粉并搅拌，直至面粉成絮状；❷ 把絮状面粉揉光，放置温暖处进行发酵 1 小时左右；❸ 发好的面团在案板上用力揉 10 分钟，揉至光滑，并尽量使面团内部无气泡；搓成圆柱，用刀等分切成小块，整理成圆形，放入蒸笼里，盖上盖，再次醒发 20 分钟；❹ 凉水上锅蒸 15 分钟即成。

南瓜油菜粥

炖补汤粥

南瓜油菜粥

营养功效： 新妈妈眼睛很脆弱，南瓜富含维生素 A，能帮助新妈妈眼睛尽快恢复到产前状态，此粥味道可口，容易消化，还可预防新妈妈便秘。

原料： 大米 1/3 碗，南瓜半个，油菜 2 棵，盐适量。

做法： ❶ 南瓜去皮，去瓤，洗净切成小丁；油菜洗净，切丝；大米淘洗干净；❷ 锅中放大米、南瓜丁、油菜丝，加适量水煮熟，最后加盐调味即可。

鲈鱼豆腐汤

鲈鱼豆腐汤

营养功效： 鲈鱼有滋养身体的作用，豆腐含有丰富的植物蛋白和钙，容易消化，热量也低，其温和滋润的功效能逐渐唤起新妈妈的食欲，并具有健脾益胃的功效。

原料： 去骨鲈鱼 1 条，豆腐 1 块，香菇 3 朵，姜片、盐各适量。

做法： ❶ 将去骨鲈鱼洗净，切块；豆腐切块；香菇浸泡，去蒂，切半；❷ 将姜片放入锅中，加清水烧开，加入豆腐、去骨鱼肉，炖煮至熟，加盐调味即可。

阿胶核桃仁红枣羹

阿胶核桃仁红枣羹

营养功效： 核桃仁可促进产后子宫收缩，阿胶可减轻产后妈妈出血过多引起的气短、乏力、头晕、心慌等症状；其香甜的味道也能让新妈妈更有食欲。

原料： 阿胶 1 块，核桃仁 2 颗，红枣 6 颗。

做法： ❶ 核桃仁去皮，掰小块；红枣洗净，去核；❷ 把阿胶砸成碎块，50 克阿胶需加入 20 毫升的水一同放入瓷碗中，隔水蒸化后备用；❸ 将红枣、核桃仁放入另一只砂锅内，加清水用小火慢煮 20 分钟；❹ 将蒸化后的阿胶放入砂锅内，与红枣、核桃仁再同煮 5 分钟即可。

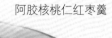

营养菜品

奶油白菜

营养功效：此菜口味清淡，营养丰富，适合产后第 2 周食用，可以帮助口味重的新妈妈降低对盐的摄入。

原料：白菜 1 棵，牛奶半袋（120 毫升），盐、高汤、水淀粉各适量。

做法：❶ 白菜切小段；将牛奶倒入水淀粉中搅匀；❷ 油锅烧热，倒入白菜，再加些高汤，烧至七八成烂；❸ 放入盐，倒入调好的牛奶汁，再烧开即成。

奶油白菜

枸杞红枣蒸鲫鱼

营养功效：鲫鱼不仅通乳的效果明显，而且肉质细嫩，对新妈妈补虚养身也有很好的效果，搭配红枣和枸杞子，还有很好的补血养肝的作用。

原料：鲫鱼 1 条，枸杞子 15 粒，红枣 2 颗，葱姜汁、盐、清汤、醋各适量。

做法：❶ 将鲫鱼去鳞、鳃及内脏，洗干净，用开水烫一下，再用温水冲过；❷ 鲫鱼腹中放 2 颗红枣，再将鲫鱼放入汤碗内，倒进枸杞子、醋、清汤、葱姜汁，撒入适量盐；❸ 把汤碗放入蒸锅内蒸 20 分钟左右即可。

枸杞红枣蒸鲫鱼

豆角烧荸荠

营养功效：豆角含多种营养素，对新妈妈产后恢复十分有利；荸荠含胡萝卜素较高，能缓解新妈妈眼睛不适。

原料：豆角 200 克，荸荠 3 个，牛肉 50 克（体积如鸡蛋大小），葱姜汁、盐、水淀粉、高汤各适量。

做法：❶ 荸荠削去外皮，切成片；豆角斜切成段，牛肉切成片，用葱姜汁和盐拌匀腌 10 分钟，再用水淀粉勾芡；❷ 锅内放油烧热，下入牛肉片用小火炒至变色，下入豆角段炒匀，再放入余下的葱姜汁，加高汤烧至微熟；❸ 下入荸荠片，炒匀至熟，加适量盐，出锅即成。

豆角烧荸荠

第3周

比起前两周,这周新妈妈无论从身体上还是精神上都会很轻松。全部的心思都放在喂养宝宝上,促进乳汁分泌是重中之重,下奶的乌鸡汤、猪蹄粥等要常吃。从第3周开始,新妈妈身体的不适感逐渐减轻,有了很好的食欲,新妈妈一定要注意饮食平衡,高蛋白食品和新鲜蔬果要同时适量摄入。

本周健康月子餐推荐

时间	早餐		午餐		晚餐		加餐
	1	2	1	2	1	2	
第15天	红枣栗子粥 鸡蛋	豆包 银耳鹌鹑蛋	鳗鱼饭 骨汤奶白菜	水煎包 桃仁莲藕汤	素三鲜水饺 栗子黄鳝煲	米饭 西红柿炖牛腩	草莓牛奶粥
第16天	菠菜饼 鸡蛋玉米羹	丝瓜虾仁粥 炝拌土豆丝	花卷 木瓜烧带鱼	西红柿面疙瘩 鲷鱼豆腐羹	猪肉雪菜包 黄豆莲藕排骨汤	白菜馅饼 葱烧海参	西红柿胡萝卜汁
第17天	黑芝麻花生粥 鸡蛋	西红柿面疙瘩 鸡蛋	西葫芦饼 黄豆猪蹄汤	牛肉饼 板栗烧仔鸡	胡萝卜菠菜 蛋炒饭 紫菜虾皮汤	扬州炒饭 萝卜肉丝汤	紫苋菜粥 全麦面包
第18天	蛋黄紫菜饼 蒜香黄豆芽	芹菜肉末包 小米红枣粥	什锦面 泥鳅红枣汤	砂锅面 清蒸大虾	馒头 青笋炒肉	猪肝烩饭 虾肉冬瓜汤	牛奶核桃粥
第19天	猪蹄粥 鹌鹑蛋	紫苋菜粥 鸡蛋	玉米饼 双红乌鸡汤	米饭 萝卜炖牛腩	豆角焖面 乌鱼通草汤	鸡蛋挂面 清炒黄豆芽	冬瓜蜂蜜汁 苹果
第20天	全麦面包 草莓牛奶粥	牛肉菠菜包 八宝粥	蛋炒饭 炒红薯泥	三鲜馄饨 葱爆酸甜牛肉	米饭 腰果彩椒三文鱼粒	虾肉水饺 香椿苗拌核桃仁	红枣花生紫米粥
第21天	芝麻烧饼 紫米粥	肉松面包 香芹拌豆角	海鲜炒饭 羊肉冬瓜汤	猪肉豆角包 虾酱蒸鸡翅	羊肉萝卜饺 清炒空心菜	炒馒头 海参豆腐煲	阿胶粥 橙子

花样主食

胡萝卜菠菜鸡蛋饭

营养功效：本道主食富含蛋白质、胡萝卜素、铁、钙等营养素，有利于新妈妈身体的恢复和乳汁质量的提高。

原料：熟米饭 1 碗，鸡蛋 2 个，胡萝卜半根，菠菜 2 棵，葱末、盐各适量。

做法：❶ 胡萝卜洗净，切丁；菠菜洗净，切碎；鸡蛋打成蛋液；❷ 锅中倒油，放鸡蛋液炒散，盛出备用；❸ 锅中再倒油，放葱末煸香，加入熟米饭、胡萝卜丁、菠菜碎、鸡蛋翻炒 2 分钟，最后加盐调味即可。

胡萝卜菠菜鸡蛋饭

鳗鱼饭

营养功效：鳗鱼具有补虚强身的作用，适于产后虚弱的新妈妈食用，同时还能促进泌乳，并提升乳汁质量。

原料：熟米饭半碗，鳗鱼 1 条，竹笋 2 根，油菜 2 棵，盐、酱油、白糖、高汤各适量。

做法：❶ 鳗鱼洗净，放入盐、酱油腌制半小时；竹笋、油菜洗净，竹笋切片；❷ 把腌制好的鳗鱼放入烤炉里，温度调到 180℃，烤熟；❸ 油锅烧热，放入笋片、油菜略炒，放入烤熟的鳗鱼，加入高汤、酱油、白糖，待锅内的汤几乎收干了即可出锅，浇在米饭上即可。

鳗鱼饭

西红柿面疙瘩

营养功效：西红柿含有丰富的维生素 C 和铁，鸡蛋中蛋白质、钙的含量十分丰富。这道主食清淡可口，在本周新妈妈滋补的同时，可解油腻、养肠胃。

原料：面粉 1/3 碗，西红柿 2 个，鸡蛋 2 个，盐适量。

做法：❶ 面粉中边加水边用筷子搅拌成颗粒状，静置 10 分钟；鸡蛋打散；西红柿洗净，切小块；❷ 锅中放油，倒入鸡蛋液炒散，加入适量水，将鸡蛋煮开，至汤发白时倒入西红柿块；❸ 再将面粉慢慢倒入西红柿鸡蛋汤中煮 3 分钟后，放盐即可。

西红柿面疙瘩

双红乌鸡汤

炖补汤粥

双红乌鸡汤

营养功效：乌鸡滋补肝肾，益气补血，提高乳汁质量，是新妈妈本周泌乳、滋补的上品。

原料：乌鸡1只，红枣6颗，枸杞子15粒，盐、姜片各适量。

做法：❶ 乌鸡收拾干净，切大块，放进温水里用大火煮，待水开后捞出，洗去浮沫；❷ 将红枣、枸杞子洗净；❸ 锅中放适量水烧开，将红枣、枸杞子、姜片、乌鸡放入锅内，加水用大火煮开，改用小火炖至肉熟烂。出锅时加入盐调味即可。

鸡蛋玉米羹

鸡蛋玉米羹

营养功效：玉米能调中健胃，利尿消肿，降低血清胆固醇，适合产后大补的新妈妈调整胃肠功能，同时还可帮助新妈妈与宝宝同时提高视力。

原料：玉米粒1/3碗，鸡蛋2个，盐、白糖各适量。

做法：❶ 将玉米粒用搅拌机打成玉米蓉；鸡蛋打散成蛋液，备用；❷ 将玉米蓉放入锅中，加清水大火煮沸后，转小火再煮20分钟；❸ 鸡蛋液慢慢倒入锅中，转大火并不停搅拌，再次煮开后，放盐和白糖调味即可。

猪蹄玉米汤

猪蹄玉米汤

营养功效：猪蹄是传统的下奶食物，并且含有丰富的胶原蛋白质，可增强皮肤弹性和韧性，是新妈妈理想的天然美容护肤佳品。

原料：鲜玉米半个，猪蹄半只，葱段、姜片、盐各适量。

做法：❶ 猪蹄洗净，切成小块，在开水锅内焯一下；鲜玉米洗净，切成小段；❷ 砂锅加水，放猪蹄、姜片、葱段，开锅后转小火，煮1小时后加入鲜玉米段，再煮1小时，加盐出锅即可。

营养菜品

清炒黄豆芽

营养功效：黄豆芽是很经济实用的下奶食品，如果用猪油炒，催乳效果更好。

原料：黄豆芽1把，葱花、姜丝、盐各适量。

做法：❶ 黄豆芽掐去根须，洗净；❷ 油锅烧热，放入葱花、姜丝炒出香味，加入黄豆芽同炒至熟，加适量盐，翻炒均匀，即可装盘食用。

清炒黄豆芽

炒红薯泥

营养功效：红薯中富含多种维生素，核桃仁、花生、瓜子中DHA含量极高，此菜营养通过乳汁被宝宝吸收，可促进宝宝大脑发育。

原料：红薯1个，核桃仁2个，花生仁3颗，熟瓜子、玫瑰汁、芝麻、蜂蜜、蜜枣丁、红糖水各适量。

做法：❶ 红薯去皮后上锅蒸熟，然后制成碎泥；核桃仁、花生仁压碎；❷ 锅中放适量油，烧热后将红薯泥倒入翻炒；倒入红糖水继续翻炒；❸ 再将玫瑰汁、芝麻、蜂蜜、花生碎、核桃仁碎、熟瓜子、蜜枣丁放入，继续翻炒均匀即可。

炒红薯泥

虾酱蒸鸡翅

营养功效：虾酱同鸡翅一起食用，在增加泌乳量的同时也能促进母乳质量的提高。

原料：鸡翅翅中6只，虾酱2小匙，葱段、姜片、酱油、水淀粉、盐、白糖各适量。

做法：❶ 洗净翅中，沥干水分，在翅中上划几刀，用酱油、水淀粉和盐腌制15分钟；❷ 将腌好的鸡翅中放入一个较深容器中，加入虾酱、姜片、白糖、油和适量的盐拌匀，盖上盖儿；❸ 放进微波炉用大火蒸8分钟，取出加入葱段，再放入微波炉中大火蒸2分钟，取出码入盘中即可。

虾酱蒸鸡翅

第 4 周

　　无论是需要哺乳的新妈妈，还是不需要哺乳的新妈妈，产后第 4 周的进补都不要掉以轻心，本周可是恢复产后健康的关键时期。身体各个器官逐渐恢复到产前的状态，都正常而良好地"工作"着，它们需要在此时有更多的营养来帮助运转，尽快提升元气。

本周健康月了餐推荐

| 时间 | 早餐 | | 午餐 | | 晚餐 | | 加餐 |
	1	2	1	2	1	2	
第 22 天	枣糕 紫薯粥	花生红枣小米粥 生菜卷饼	牛肉饼 海米油菜	红小豆饭 明虾炖豆腐	鸡丝面 冬笋冬菇扒油菜	西红柿菠菜面 肉末炒芹菜	椰味红薯粥
第 23 天	牛奶燕麦粥 鸡蛋	阿胶核桃仁红枣羹 鸡蛋	花卷 胡萝卜牛蒡排骨汤	豆包 胡萝卜炒豌豆	米饭 香菇鸡片	家常饼 桃仁莲藕汤	三鲜馄饨
第 24 天	玉米粥 鸡蛋羹	胡萝卜小米粥 西红柿炒鸡蛋	猪肝烩饭 海带豆腐汤	紫菜包饭 什菌一品煲	蛋炒饭 山药腰片汤	花生红枣小米粥 鲶鱼炖豆腐	牛奶 苹果
第 25 天	蛋黄紫菜饼 阿胶粥	三鲜蒸饺 花生红小豆汤	豆角肉末包 栗子黄鳝煲	豆芽炒饼 栗子黄鳝煲	千层饼 橙香鱼排	阳春面 清炒西葫芦	橙子胡萝卜汁 枣糕
第 26 天	蘑菇鸡肉粥 芹菜茼蒿汁	黑芝麻糊 鸡蛋	雪菜肉丝汤面 地三鲜	西红柿菠菜面 鲤鱼大枣汤	阳春面 西蓝花彩蔬小炒	香菇薏仁饭 洋葱汤	百合莲子羹 樱桃
第 27 天	香椿芽猪肉馅饼 二米粥	花生红枣小米粥 奶汁烩生菜	牛奶米饭 胡萝卜肉丝汤	什锦蘑菇面 黄豆猪蹄汤	香菇肉粥 银鱼炒鸡蛋	干贝灌汤饺 糖醋莲藕	红小豆粥 核桃糕
第 28 天	荠菜馅饼 山药粥	牛奶银耳小米粥 鸡蛋	紫菜包饭 鸡肝枸杞汤	玉米面发糕 鲫鱼丝瓜汤	米饭 山药炖排骨	牛肉卤面 紫菜鸡蛋汤	猪肝粥 香蕉

花样主食

牛肉饼

营养功效：牛肉富含蛋白质和氨基酸，适宜新妈妈本周滋补之用，可提高机体的抗病能力，还能令新妈妈保持充足的乳汁分泌。

原料：牛肉馅1碗，鸡蛋1个，葱末、姜末、盐、香油和水淀粉各适量。

做法：❶ 精选牛肉馅，加入葱末、姜末、油、盐、香油，搅拌均匀，打入1个生鸡蛋，加入适量水淀粉；❷ 摊平成饼状，用适量油煎熟，或上屉蒸熟，也可以用微波炉大火加热5~10分钟至熟。

牛肉饼

雪菜肉丝汤面

营养功效：这道面食营养丰富，味道浓郁鲜美，具有很强的温补作用，能令新妈妈产后尽快提升元气。

原料：面条100克，猪肉丝100克(约1/3碗)，雪菜1棵，酱油、盐、葱花、姜末、高汤各适量。

做法：❶ 雪菜洗净，加清水浸泡2小时，使之变淡，捞出沥干，切碎末；猪肉丝洗净，加盐拌匀；❷ 锅中倒油烧热，下葱花、姜末、肉丝煸炒，至肉丝变色，再放入雪菜末翻炒，放入酱油、盐，拌匀盛出；❸ 煮熟面条，挑入盛适量酱油、盐的碗内，舀入适量高汤，再把炒好的雪菜肉丝覆盖在面条上即成。

雪菜肉丝汤面

猪肝烩饭

营养功效：猪肝是补血食品中最常用的食物，尤其是孕晚期和产后贫血的新妈妈每周吃两三次，可降低宝宝缺铁性贫血的概率。

原料：米饭1碗，猪肝半个，瘦肉1/3碗，胡萝卜半根，洋葱半头，蒜末、水淀粉、盐、白糖、酱油各适量。

做法：❶ 将瘦肉、猪肝洗净，切成片，调入少许酱油、白糖、盐、水淀粉腌10分钟；❷ 将洋葱、胡萝卜洗净，均切成片后用开水烫熟；❸ 锅置火上，放油，下蒜末煸香，放入猪肝、瘦肉略炒，依次放入洋葱片、胡萝卜和盐、酱油，放水加热，加水淀粉，淋在米饭上即成。

猪肝烩饭

阿胶粥

炖补汤粥

阿胶粥

营养功效：阿胶是补血佳品，还可养阴润肺，适宜本周新妈妈补益之用。

原料：阿胶1块，大米1/3碗，红糖适量。

做法：❶ 将阿胶捣碎备用；❷ 取大米淘净，放入锅中，加清水适量，煮为稀粥；❸ 待熟时，调入捣碎的阿胶，加入红糖即可。

栗子黄鳝煲

栗子黄鳝煲

营养功效：黄鳝性温味甘，能补五脏、除风湿、活筋骨，可滋阴补血，对产后新妈妈筋骨酸痛、浑身无力、精神疲倦、气短懒言等都有良好疗效，是本周食疗、滋补兼备的美味佳肴。

原料：黄鳝2条，栗子5颗，姜片、盐各适量。

做法：❶ 黄鳝去肠及内脏，洗净，用热水烫去黏液，将处理好的黄鳝切成4厘米长的段，加盐拌匀，备用；栗子洗净去壳；❷ 将黄鳝段、栗子、姜片一同放入锅内，加入适量清水，大火煮沸，转小火再煲1小时；❸ 加盐调味即可。

胡萝卜牛蒡排骨汤

胡萝卜牛蒡排骨汤

营养功效：牛蒡含有一种非常特殊的养分——牛蒡苷，有助筋骨发达，增强体力之功效，与胡萝卜、排骨等同食，还能帮助新妈妈的身体各个器官逐渐恢复到产前的状态。

原料：排骨4块，牛蒡1段，胡萝卜半根，盐适量。

做法：❶ 排骨洗净，斩段，氽烫去血沫，用清水冲洗干净；❷ 胡萝卜洗净，去皮，切块，备用；牛蒡用小刷子刷去表面的黑色外皮，切成小段；❸ 把排骨、牛蒡、胡萝卜块放入锅中，加适量清水，大火煮开，转小火再炖1小时，出锅时加盐调味即可。

营养菜品

橙香鱼排

营养功效：橙子可以促进肉类蛋白质的分解和吸收，有助于消化，还能补充维生素，同时能提高新妈妈和宝宝的免疫力和抗病力。

原料：鲷鱼 1 条，橙子 1 个，红椒半个，冬笋 1 根，盐、水淀粉各适量。

做法：❶ 将鲷鱼收拾干净，切大块；冬笋、红椒洗净、切丁；橙子取出肉粒；❷ 锅中倒入适量油，鲷鱼块裹适量水淀粉入锅炸至金黄色；❸ 锅中放水烧开，放入橙肉粒、红椒、冬笋，加盐调味，用水淀粉勾芡，浇在鲷鱼块上即可。

橙香鱼排

香菇鸡片

营养功效：香菇含有丰富的抗氧化物质，鸡肉温和滋补，二者同食，对于提高新妈妈的免疫力、补养气血有很好的促进作用。

原料：鸡胸肉 150 克 (约半碗)，香菇 4 朵，红椒半个，姜片、盐、香油、高汤各适量。

做法：❶ 香菇去蒂、洗净、切片；红椒洗净、去蒂去子，切片；鸡胸肉洗净、切片，焯水备用；❷ 锅内放适量油，炒鸡肉至变色，盛出；❸ 另起锅倒入适量油，煸香姜片，再放入香菇片和红椒片翻炒，炒软放入少量高汤烧开，再放盐和香油，倒入炒好的鸡片，再次翻炒，大火收一下汁即可。

香菇鸡片

西蓝花彩蔬小炒

营养功效：这道菜含有丰富的维生素，在本周新妈妈大量进补期间食用，可缓解胃肠负荷，令新妈妈更健康。

原料：西蓝花半个，玉米粒 2 小匙，胡萝卜丁、青椒丁、红椒丁、盐、水淀粉各适量。

做法：❶ 玉米粒洗净备用；西蓝花去老茎，择成小朵；❷ 坐锅烧水，下胡萝卜丁、玉米粒焯水 2 分钟；❸ 坐锅烧水，下西蓝花烫 2 分钟，捞出沥水；❹ 坐锅放油，下所有材料翻炒 1 分钟，起锅；❺ 西蓝花围边，勾水淀粉淋在西蓝花上，将炒好的彩蔬放入盘中央即可。

西蓝花彩蔬小炒

产后恢复特效食谱

新妈妈一面沉浸在初见宝宝的喜悦之中，一面又忍受着产后便秘、恶露不尽等不适症状的折磨。其实，对付产后不适，正确的食疗方法既能够使新妈妈尽快恢复健康，又不会影响哺乳和宝宝的营养，新妈妈不妨试一下。

产后便秘

幸福地做了新妈妈之后，另一种难言之隐——便秘可能也随之而来，这是最常见的产后病之一。生产之后胃口不好、伤口疼痛、活动少、饮食缺乏膳食纤维，是产后便秘形成的重要因素。大便干结疼痛，难以排出，又会形成恶性循环，影响新妈妈的身心健康。

产后便秘除和一般便秘症状相同外，有时可见兼有面色萎黄、皮肤不润、口渴舌红、精神疲惫等情况。产后便秘禁用大黄及以大黄为主的清热泻下药，如三黄片、牛黄解毒片、牛黄上清丸等，最好的办法就是食用润肠通便的食物来缓解和改善产后便秘的困扰。

有助缓解症状的食材：

肉类：鸡肉，最好是肉末。

蔬菜类：芹菜、油菜、玉米等。

水果类：香蕉、苹果、梨，最好用炖、煲汤或者蒸的方式预先加热一下，避免过于寒凉。

其他类：红薯、芝麻、蜂蜜、何首乌、花生仁、松子仁、瓜子仁等。

芹菜茭白汤

取新鲜茭白 100 克，芹菜 50 克，水煎服。每日 1 剂，可辅助治疗产后便秘。

油菜汁

取新鲜油菜洗净，捣烂取汁，每次饮服 1 小杯，每日服用两三次，可辅助治疗产后便秘。

茼蒿汤

取新鲜茼蒿 250 克，做菜或做汤吃，每日 1 次，连续 7~10 天为 1 个疗程，可辅助治疗产后便秘。

茼蒿汁里加几滴蜂蜜，不仅口感好，通便功效更强。

产后出血

从产房出来那一刻起，新妈妈就开始坐"月子"了，这个月子过得好不好，直接关系到新妈妈以后是否会留下后遗症。所以新妈妈们就得多了解一些产后保养事宜，尤其是产后第一天需要知道的事，其中产后出血是新妈妈及家人最该关注的。

分娩后 24 小时内出血量超过 500 毫升称为产后出血，常见原因是宫缩乏力、软产道损伤、胎盘因素及凝血功能障碍。产后 2 小时内发生的称为早期产后出血；产后 2~24 小时内发生的称为中期产后出血；分娩 24 小时以后到 15 天内，仍从子宫大量出血，出血量超过 400 毫升，称为晚期产后出血。一般产后 2 小时内阴道流血较多，2 小时后出血逐渐减少。如果胎宝宝出生后 24 小时内，新妈妈自我感觉阴道出血量比较多的话，就要及时向医护人员反应。

有助缓解症状的食材：

肉类：羊肉、牛肉、鸡肉、鱼。

蔬菜类：菠菜、西红柿、菜花。

水果类：哈密瓜、草莓、芒果。

其他类：芝麻、松子仁、海带、虾皮、鸡蛋。

人参粥

大米 50 克，人参末、姜汁各 10 克。大米煮粥，加入人参末、姜汁搅拌均匀。早晚餐服食。

红糖煮鸡蛋

鸡蛋 2 个，红枣 10 颗，红糖适量。将锅内水烧沸后打入鸡蛋，水再沸下红枣及红糖，小火煮 15 分钟即成。每天食用。

生地益母汤

黄酒 200 毫升，生地黄 6 克，益母草 10 克。将这些中药一起放瓷杯中，隔水蒸 20 分钟后服药汤。每次温服 50 毫升，连服数天。

金牌月嫂的月子经

新妈妈和家人一定不能粗心大意，不能单纯地认为出血是产后的正常现象，对于产后出血的治疗应依病因而定。此外，新妈妈还应保证充足睡眠，加强营养，多吃富含铁的食物。情况稳定后鼓励下床活动，但应注意活动量要逐渐增加。

人参粥最好早晚空腹服食，且不可长时间食用。

产后恶露不尽

新妈妈分娩结束后,恶露就开始出现了。产后恶露不尽,这是许多新妈妈都会遇到的一个问题。恶露是产褥期由阴道排出的分泌物,由胎盘剥离后的血液、黏液、坏死的脱膜组织和细胞等物质组成,正常恶露没有臭味。

在正常情况下,产后1~3天出现血性恶露,含有大量血液、黏液及坏死的内膜组织,有血腥味。产后4~10天转为颜色较淡的浆性恶露,产后两周排出的为白恶露,为白色或淡黄色,量更少。恶露在早晨的排出量较晚上多,一般持续3周左右停止。通过对恶露的观察,注意其质和量、颜色及气味的变化以及子宫复旧情况,可以了解子宫恢复是不是正常。

有助缓解症状的食材:

蔬菜类:白菜、菜花、莴笋、西红柿、丝瓜、莲藕、冬瓜、萝卜。

水果类:橘子、苹果、柚子、枇杷、葡萄。

其他类:益母草、山楂、当归、党参、黄芪、鸡蛋。

益母草煮鸡蛋

益母草30~60克,加水煮半小时,滤去药渣,打入鸡蛋2个,煮熟食用。

白糖藕汁

鲜白嫩藕榨取藕汁100克,再将白糖20克兑入藕汁中,随时饮服。适用于血热所致的产后恶露不尽。

党参炖乌鸡

党参10克,净乌鸡1只,红枣3颗,盐少许。将党参浸软切片,装入鸡腹,与红枣同放入砂锅内,加盐隔水炖至鸡烂熟,食肉饮汤。

纱布包里装入适量黄芪,和乌鸡同煮,对气虚引起的恶露不尽效果显著。

产后水肿

当新妈妈发现自己下肢甚至全身浮肿、心悸气短、四肢乏力、尿少不适时，要及时到医院检查。尤其是剖宫产新妈妈，如果发现小腿水肿、疼痛，要及时通知医生，因为这很可能是静脉血栓合并肺栓塞的先兆。

中医认为，产后水肿的原因有二：一是脾胃虚弱，二是肾气虚弱。这两种原因都会导致体内水分滞留过多，出现头晕心悸、脉象细弱无力等症状，在体重增加的同时，还会出现眼皮浮肿、脚踝或小腿水肿。

有产后水肿的新妈妈，睡前要少喝水，饮食要清淡，不要吃过咸或过酸的食物，尤其是咸菜，以防水肿加重；补品不要吃太多，以免加重肾脏负担；可多摄入脂肪较少的肉类或鱼类，并进行适量的运动以帮助身体恢复，排出体内多余水分。

有助缓解症状的食材：

肉类：牛肉、羊肉、鸡肉、动物肝脏、鸭肉。

蔬菜类：西蓝花、油菜、芹菜。

水果类：柠檬、苹果、香蕉、草莓。

其他类：牛奶及奶制品、鸡蛋、大豆。

大豆鲤鱼汤

鲤鱼 1 条，收拾干净。大豆 100 克与白术 20 克，洗净，放入砂锅加水与鲤鱼同煮。大火烧开，改小火慢煮至豆、鱼熟烂即可。

红小豆薏米姜汤

50 克红小豆和 50 克薏米用冷水浸泡 3 小时以上，将 5 片老姜与红小豆、薏仁同煮，大火煮开后转小火继续煮 40 分钟，待红小豆、薏仁煮熟软后，取出汤汁加少量白糖调味。

桂圆粥

桂圆 30 克，洗净切成小丁块。大米 60 克淘洗干净。将桂圆、大米放入锅中，加水 600 毫升，煮至米烂开花、粥汁黏稠时离火，搅匀即可食用。每日可食一两次。

金牌月嫂的月子经

其实孕妇到了怀孕末期身体里就比怀孕前多 40% 的水分，大约要到生产后几周才可将身体里多余水分全部代谢出去。一般产后会有一段利尿期，身体容易流汗及多尿，来排泄多余水分。坐月子饮食要以清淡为原则，控制盐分摄入，因为摄取过多盐分反而会使水分滞留在身体里，更易形成水肿。

红小豆和薏仁同煮具有利水的功效，还可补血补虚。

产后虚弱

产后虚弱是新妈妈产后最常见的不适症状。难产、分娩或产后出血过多、产后饮食不当、产后出汗过多或产后休息不足、过度劳累等，都会导致新妈妈气、血、津液的耗损，就算平时体质再好也会感到从未有过的虚弱。严重的产后虚弱称为产后虚劳。

产后虚弱的症状表现有以下几种：

气虚：气短、头晕、乏力、精神疲倦、面白心悸、脉细无力。

血虚：头晕目眩、失眠健忘、多梦、气色差。

阴虚：口干舌燥、大便秘结、盗汗、头晕耳鸣、心烦。

阳虚：怕冷畏寒、尿频、小腹冷痛、精神不振、大便溏薄。

产后虚弱的新妈妈应注意饮食调理，不仅是为了自身的恢复，也是为了促进母乳分泌，以便更好地哺育宝宝。

中药膳食可以帮助新妈妈的身体尽快恢复，可以在中医的指导下，选用党参、黄芪、当归、麦冬、枸杞子、山药、桂圆、核桃仁、黑芝麻、莲子等煮粥或煲汤喝。

有助缓解症状的食材

肉类：猪瘦肉、乌鸡、猪肝。

蔬菜类：萝卜、豌豆、荷兰豆、西蓝花。

水果类：苹果、梨、香蕉、芒果、甜瓜。

其他类：红糖、枸杞子、茯苓。

桂圆羹

将 50 克桂圆肉清洗干净，待用。将 200 毫升清水烧开，放入桂圆肉，改为小火炖 30 分钟左右，即可食用。

香油胡萝卜粥

胡萝卜 150 克去皮切成丁，加入少量油和盐稍腌。大米 100 克淘洗干净，锅中烧沸清水，加入大米、胡萝卜，沸后再改用小火熬煮至粥成，加盐调味即可。

枸杞子粥

枸杞子 20 克，大米 100 克。将枸杞子、大米加适量水，小火慢慢熬成粥。

鲜嫩碧绿的奶汁烩西蓝花，让产后虚弱、胃口不佳的新妈妈眼前一亮。

产后腹痛

分娩后,新妈妈出现下腹部的阵发性疼痛,称为产后腹痛,也称为"宫缩痛",这是正常现象,一般发生于产后一两天内,三四天后自然消失。产后腹痛主要是因为子宫收缩,子宫正常下降到骨盆内所引起的。在喂哺宝宝母乳的时候,因宝宝的吸吮会使新妈妈体内释放出催产素,刺激子宫收缩而加重疼痛感。经产妇比初产妇更容易有产后腹痛。另外,子宫被过度膨胀,如羊水过多、多胞胎等也会加重产后痛。产后大约一周这种疼痛会自然消失。如果腹痛时间过长,就要考虑腹膜炎的可能。

有助缓解症状的食材:

蔬果类:菠菜、南瓜、扁豆。

水果类:苹果、木瓜。苹果较寒凉,煲汤或者蒸熟了吃较好。

其他类:肉桂、红花、当归、黄酒、鸡蛋。

黄芪党参炖母鸡

母鸡 1 只,黄芪、党参、山药各 30 克,隔水蒸熟食用,对产后身体虚弱、产后腹痛有一定的治疗作用。

红糖姜饮

红糖 100 克,鲜生姜 10 克,水煎服,可辅助治疗产后腹痛和产后胃部疼痛。

黄瓜藤汤

取黄瓜藤适量,阴干,每次取 30 克,加红糖 50 克、米酒 50 毫升,加水适量,煎服。每日 1 次,连服 3 次,可辅助治疗产后腹痛。

金牌月嫂的月子经

新妈妈要咨询医生,是否住院期间所开的药物已包括子宫收缩剂在内,如果有,就不宜同时服用生化汤,免得子宫收缩过强造成产后腹痛。另外,如果产后腹痛伴有下腹部呈阵发性疼痛、恶露增加、头晕耳鸣或是恶露量少、色暗紫成块状、胸肋胀痛、面色青白,都是不正常的现象,要引起注意。

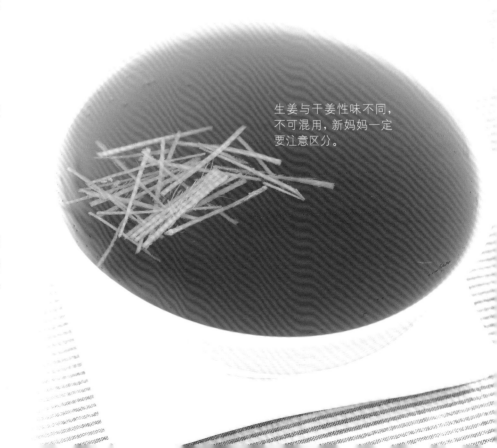

生姜与干姜性味不同,不可混用,新妈妈一定要注意区分。

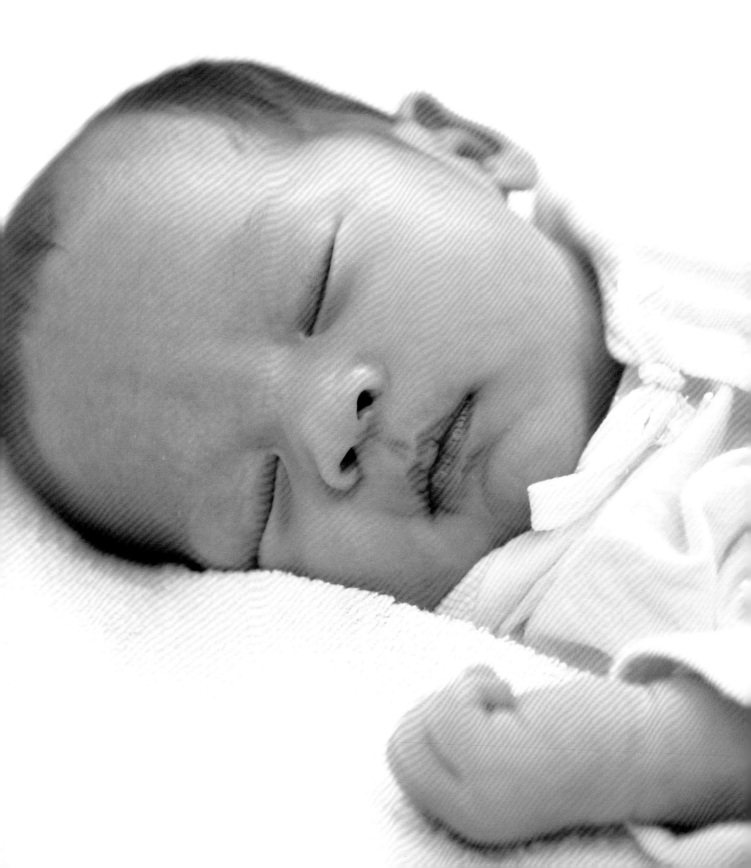

科学育儿

经历了艰辛的十月怀胎和刻骨铭心的分娩，妈妈们从怀孕伊始就期待的那个时刻终于来临了，那个在子宫里和你朝夕相处了 280 天的小生命，就躺在你的身边。作为新妈妈，面对一个又小又软的生命，是否有些手足无措？不用担心，在育儿的道路上，有金牌月嫂朝夕陪在你身边，为你解决育儿中的所有问题。

了解你的宝宝

在众人的期待之中，一个湿漉漉、光溜溜的小天使降临到人间，他那一声响彻云霄的嘹亮哭声，像是在告诉父母和亲人们"你们等很久了吧！快欢迎我吧"，也像是在说"赶紧好好看看我，了解一下你们的宝宝吧"。

新生儿的健康标准

在怀胎十月之后终于迎来了新生命的诞生，小家伙脸部、眼睛有些肿，看上去很柔弱，不少新妈妈即使看到了自己的小宝宝，也有点不放心，不知道宝宝是否健康，这时可以通过一系列的观察和判断来了解。

新生儿的体格标准

项目	出生时	满月时	
体重	2.5~4 千克	男婴约 5.03 千克	女婴约 4.68 千克
身长	47~53 厘米	男婴约 57.06 厘米	女婴约 56.17 厘米
头围	33~34 厘米	男婴约 38.43 厘米	女婴约 37.56 厘米
胸围	约 32 厘米	男婴约 37.88 厘米	女婴约 37.12 厘米

新生儿的哭声

哭声是新生儿的"语言"，除了吃、睡、排泄，宝宝最常见的就是哭了。无论是饿了、热了、冷了，还是尿湿了、不舒服、生病了、寂寞了，都会用哭声来表达。如果宝宝不哭，那可能真是有问题了。父母和照顾者需要认真去解读宝宝的哭声。

哭可是我的独特语言，爸爸妈妈要练习着听懂哦！

新生儿的头

"宝宝头好大啊！是不是有什么问题？"这是很多新妈妈初见宝宝的印象。其实，新生儿头比较大，这是正常现象。头部奇怪的形状，通常是由于分娩过程中的压迫造成的，两周后头部的形状就会变得正常了。

新生儿的皮肤

新生儿娇嫩、粉红、富有弹性的皮肤让新妈妈禁不住想要亲吻、抚摸，甚至都想轻轻地咬上一口。宝宝皮肤外覆有一层奶油样的胎脂。在鼻尖、两鼻翼和鼻与颊之间，常有因皮脂增积而形成的黄白色小点。胎毛于出生时已大部分脱落，但在面部、肩上、背上及骶尾骨部仍留有较少的胎毛。宝宝皮肤上也会起斑点及皮疹，但这很常见，一般几天后会自动消失，新妈妈不必担心。

宝宝的囟门可以用手轻轻摸，但要避免尖锐硬物弄伤。

新生儿的囟门

"小时大，大时小，渐渐大，不见了"，这很形象地道出了宝宝囟门的变化。新生儿头上有两个软软的部位，会随着呼吸一起一伏，这就是囟门，有利于分娩中必要的头部变形。这是颅骨尚未愈合的表现，不必担心轻轻碰一下它就会受伤，因为上面都覆盖着一层紧密的保护膜。后部的囟门在 6~8 周完全闭合，而前囟门也会在 1 岁左右闭合。

新生儿的视觉、听觉和嗅觉

新妈妈千万不要小看怀抱着的这个小小人儿，他已经具备了很多令我们不可思议的能力。

刚出生的新生儿就已经有了视力，但是还很有限，只能看清 20~25 厘米范围内的东西。在明亮的光线下他会眨眼，有时候你还会发现他看起来有点对眼。在 6 个月以内无须担心，这是因为他的眼部肌肉还没有发育好，但是，如果过了 6 个月还是这样，就需要去看眼科医生了。

如有突然的声响发生时，闭着眼睛的新生儿会立即睁眼或眨眼，这就说明新生儿的视力、听力都正常。

新生儿也有敏感的嗅觉和味觉，很喜欢妈妈身体的味道，因为这是他一直就熟悉的。

新生儿的生殖器官

男宝宝、女宝宝出生时，其生殖器都显得比较大，男宝宝的阴囊大小不等，睾丸则可能降至阴囊内，也可停留在腹股沟处或摸不清，阴茎、龟头和包皮可有松弛的黏膜。

女宝宝的小阴唇相对较大，大阴唇发育好，能遮住小阴唇，处女膜微突出，可能有少许分泌物流出。

新生儿的大小便

一般情况下，新生儿在 24~48 小时内就会有大小便了。有些宝宝刚开始的尿液可能是砖红色，这是因为含有尿酸盐的缘故，不用担心。开始几天的大便颜色黑绿、黏稠、发亮，称为胎便，以后颜色逐渐变淡。开始几天的小便也因为含有较多的尿酸盐而使颜色稍微发黄。

金牌月嫂的育儿经

早产儿排胎便的时间可能会较正常儿有所推迟，这是因为早产儿肠蠕动的功能较差或进食延迟造成的。另外，宝宝头一两天因胎便而弄脏的尿布如果洗不干净最好扔掉，以免污染宝宝的屁屁。

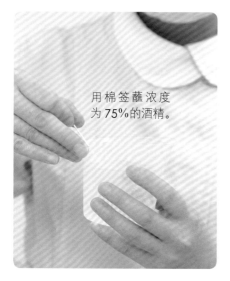

用棉签蘸浓度为75%的酒精。

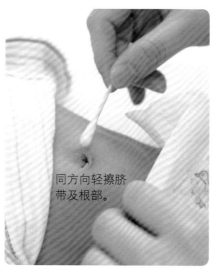

同方向轻擦脐带及根部。

新生儿的脐带

从宝宝降临的那一刻起，脐带的使命就已完成，宝宝成为了一个独立的小人，妈妈可不要失落，这意味着宝宝开始了新的人生征程。

宝宝出生后，医生会将这条脐带结扎，但是残留在新生儿身体上的脐带残端，在未愈合脱落前，对新生儿来说十分重要，一定要护理好。

新生儿的睡眠

很多年轻的新妈妈不明白为什么新生儿除了吃奶，一整天几乎都在睡觉。其实，睡眠是新生儿生活中最重要的一部分，平均每天有18~22个小时的睡眠时间，会随着月龄的增长而逐渐减少。只有饿了，想吃奶时才会醒过来哭闹一会儿，吃饱后又会安然地睡着。但有时处于深度睡眠，有时处于浅度睡眠，有时也会处于瞌睡状态。

你无须担心的其他现象

有的新妈妈会在宝宝脸上、身上看到一些特殊的"印记"，于是坐立不安，担心宝宝是否健康。下面就给新妈妈解读一下出现在宝宝身上的正常现象。

有时你可能会在新生儿的脸上、鼻子上或其他部位发现有小米粒似的东西，这就是粟粒疹，是一些没有成熟的油脂腺体造成的，一般不需要特别治疗，也不要使劲去擦拭它，不久就会自动消失的。

你可能会在新生儿的脖子、鼻梁、眼皮或其他部位发现有小小的毛细血管，这就是被称之为"天使之吻"的血管瘤，一般也无须治疗，大多数会在宝宝2岁前自动消退。

很多新生儿的背部或屁股上还会出现紫色或褐色的斑块，这也被称为"胎记"，大多在1岁时就会变淡或者完全消失。

金牌月嫂的育儿经

值得提醒新妈妈新爸爸的是，新生儿不需要枕头，因为他的脊柱是直的，在平躺时后背与后脑自然地处于同一平面上，如果垫上枕头反而容易脖颈弯曲，影响呼吸。所以不必担心新生儿睡觉没有枕头会不舒服，或者会让颈部肌肉紧绷而引起落枕。

不过，等到宝宝3个月后，就可为他选择合适、舒服的小枕头。

新生儿的先天反射

宝宝天生具备一些"神奇"的能力，比如吸吮乳头、握紧小手等，这令新妈妈欣喜、惊奇不已。其实这些都是新生儿条件反射的表现，是大脑皮层未发育成熟的暂时性表现，随着年龄的增长有的反射会逐渐消失。新生儿的特殊反射主要有觅食反射、吮吸反射、掌抓握反射等先天反射本领。

吮吸反射

表现特征：把东西放到新生儿口中会吸吮。

作用：吸吮反射与寻乳反射为配套的反射反应，使宝宝能顺利摄取到营养物质。

发展过程：3 个月后消失。

觅食反射（又名寻乳反射）

表现特征：新生儿转头至受刺激侧，并张口寻找乳头。

作用：此反射是新生儿出生后为获得食物、能量、养分而必定会出现的求生需求。

发展过程：三四个月后慢慢消失。

巴宾斯基反射

表现特征：用钝物由脚跟向前轻划新生儿足底外侧缘时，他的拇趾会缓缓地上跷，其余各趾呈扇形张开，然后再蜷曲起来。

发展过程及作用：该反射在6~18 个月后逐渐消失，但在睡眠或昏迷中仍可出现。

行下步反射（又名踏步反射）

表现特征：新生儿被竖着抱起，或把他的脚放在平面上时，会做出迈步的动作。

发展过程及作用：这一反射在新生儿出生后不久即出现，6~10 周时消失，若新生儿在 8 个月以后仍有些反射，则可能有脑性疾患。

掌抓握反射（又名达尔文反射）

表现特征：叩击新生儿手掌心时，他会立即握住你的手指。

发展过程及作用：4~6 个月时会渐渐消失，新生儿开始有有意识的抓、握、捏等精细动作。

摩罗反射（又名惊跳反射）

表现特征：突然的刺激出现时，新生儿会因受到惊吓造成类似将身体向外展开后又迅速向内缩回，尤其新生儿的双手会最为明显地出现先张开、后缩回的姿态，而呈现拥抱状。

发展过程及作用：3~5 个月时消失，若婴儿超过 4 个月还有此反射则有可能神经病变；超过 6 个月还有此反射则表示出现神经病变概率较高。

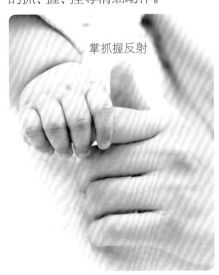

掌抓握反射

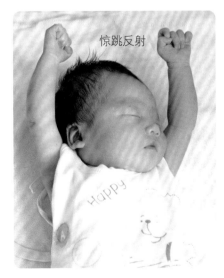

惊跳反射

新生儿的生长发育标准

从出生时第一声清脆的啼哭开始，宝宝就成了父母一生的牵挂。宝宝的各项生长发育更是牵动着新妈妈和新爸爸的心。其实，只要父母给宝宝多一些关爱，哪怕就是每月量量身高、体重、头围，就能及时看出宝宝的发育是否正常。

测量方法

在医院，一般都由医护人员用专门的工具为宝宝测量身高、体重、头围、囟门等指标，比如婴儿磅秤、婴儿量床等，虽然数据比较精确，但是有些并不太适合在家里给宝宝测量。下面我们就给新手父母介绍一下怎样在家里进行测量的简单、易行的方法，让你及时了解宝宝的生长发育情况。给宝宝测量后，可以对照着"新生儿的体格标准"（本书第 120 页）掌握宝宝发育是否良好。

体重

怎样给软乎乎、光溜溜的小宝宝称体重，这可难坏了不少新妈妈。其实，有一个最简单的办法，那就是由爸爸或妈妈抱着宝宝站在普通磅秤上称体重，然后再称爸爸或妈妈的体重，用第一个重量减去第二个重量，并扣除宝宝的衣服、尿布等的重量，即为宝宝的体重。

身高

宝宝的身高，是爸爸妈妈最关注的一个指标。新妈妈最好每个月都要给宝宝量一次身高。医院里一般都用标准的量床或便携式量板测量身长。其实，在家里，我们也能自己为宝宝测量。

❶ 脱去宝宝的鞋、袜、帽子和厚的衣服，让宝宝仰躺在床上；

❷ 妈妈位于宝宝右侧，分别用两块硬纸板接触宝宝的头顶和足底；

❸ 爸爸或家人帮助宝宝把双腿并拢并充分伸展，以减少误差，然后抱起宝宝，用尺子量一下两个硬纸板间的距离即可。

金牌月嫂的育儿经

测量宝宝身长时一定要按要求脱去宝宝的鞋、帽、厚衣服等，否则测量时宝宝的身体易成弓状，使测出的身长比实际身长小；同样，测量时脚板一定要压到脚根处而不能量到脚尖处，否则可因宝宝脚尖伸直使测出的身长比实际身长长。

测量前，妈妈要帮助宝宝脱去厚衣服，并使身体充分伸展。

如没有硬纸板，妈妈也可直接用软尺测量宝宝头顶到足底之间的距离。

头围

很多新妈妈都知道头围是宝宝大脑是否发育良好的一个重要参考依据,于是有的新妈妈给宝宝量头围后,发现头围很大,超出新生儿的标准,匆忙到医院检查后才发现,原来是自己测量头围方法不对,虚惊一场。那么怎样在家给宝宝准确测量头围呢?

❶ 准备一根软尺,寻找宝宝两条眉毛的眉弓(眉毛的最高点)。

❷ 想象左右两眉中有一条线,并找到这条线的中心点,将软尺的零点放在眉弓连线的中点上,以此为起点。

❸ 将软尺沿眉毛水平绕向宝宝的头后,寻找宝宝脑后枕骨粗隆最高处(后脑勺最突出的一点)。

❹ 将软尺绕过宝宝后脑枕骨粗隆最高处,绕回前脑一周所得的数据即是头围大小。

测量头围时,要注意软尺应紧贴皮肤,软尺不要打折,宝宝如果头发长,应先将头发在软尺经过处向上下分开,这样测得的数据才更准确。

囟门

宝宝头上有一块软软的地方,有时还可见轻微如脉搏般的跳动,新妈妈不要紧张,那就是宝宝的囟门。

宝宝的囟门由前囟和后囟组成,前囟是指头部额骨和顶骨所形成的菱形间隙。出生时其大小为1.5~2厘米,6个月以后即逐渐变小,1~1.5岁时闭合。后囟是指由两块顶骨和一块枕骨所形成的三角形间隙,一般在出生后6~8周闭合。观察囟门尤其是观察前囟门的大小、闭合时间、饱满与否,对判定宝宝是否健康有着极为重要的意义。

测量前囟门方法很简单,一般医生会通过测量前囟门对边(不是对角),来确定宝宝前囟门的大小。新妈妈自己在家给宝宝测量囟门时,动作一定要轻柔,千万不要伤害到宝宝。

其实,囟门完全可以在产后42天复检或者每月带宝宝打预防针的时候,请医生帮忙测量,妈妈平时在家只要留心观察宝宝的囟门是否有隆起等异常即可。

新生儿特有的生理现象

在出生前，宝宝是在妈妈的子宫内生活，那里到处都是羊水——一个水的世界。宝宝们就像是来自"水星"的小精灵，他们会保持一些自己特有的生理现象，在慢慢适应"地球"上新生活的过程中，这些生理现象就会随之消失。

生理性体重下降（塌水膘）

"宝宝怎么变轻了"，细心的新妈妈抱宝宝或给宝宝称体重时发现宝宝体重下降了，于是心急如焚。其实这是正常的。由于出生后的最初几天进食较少，同时有不显性失水和大小便排出，故在出生后的 2~4 天内宝宝的体重有所下降，较刚出生时体重减轻 6%~9%，称之为生理性体重下降。随着新妈妈奶量的增大，宝宝进食的增加，约在出生后 10 天左右恢复正常，进入快速生长阶段。

呼吸时快时慢

宝宝安详熟睡的样子最令妈妈感觉温暖、舒心。但有时宝宝不均匀的呼吸令妈妈很不安。

其实，新生儿的呼吸运动很浅而且没有规律，呼吸会时快时慢。在出生后的前 2 周，呼吸频率一分钟一般为 40~45 次，有的新生儿哭闹、活动时也可能多达 80 次，这些都属于正常现象。这是由于新生儿肋间肌较为柔软，鼻咽部及气管狭小，肺泡顺应性差，由于呼吸运动主要是靠横膈肌肉的升降，所以新生儿以腹式呼吸为主，胸式呼吸较弱。又因为新生儿每次呼气与吸气量均小，不足以供应身体的需求，所以呼吸频率较快，属于正常的生理现象。

打嗝

宝宝出生后的几个月内，一直都会比较频繁地打嗝，这是由于横膈膜还未发育成熟。此外，有时打嗝是由于宝宝过于兴奋，或者是由于刚喂过奶。当宝宝三四个月的时候，打嗝就会少多了。若家中的宝宝持续地打嗝一段时间，可以喂宝宝喝一些温开水，以止住打嗝。也可以弹脚心，让宝宝哭几声，哭声停止了，打嗝也就随之停止，父母不用太心疼。

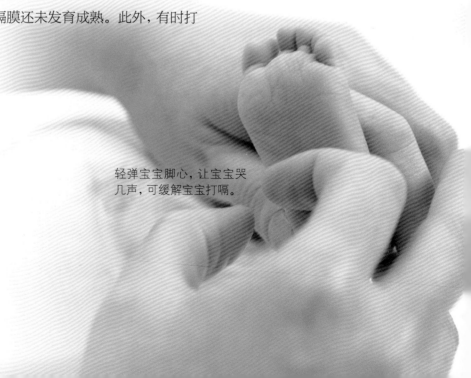

轻弹宝宝脚心，让宝宝哭几声，可缓解宝宝打嗝。

"马牙"会自行消失，不必处理。

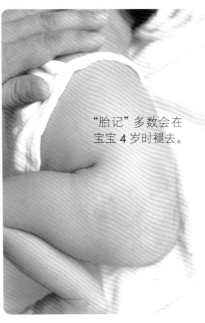

"胎记"多数会在宝宝4岁时褪去。

"马牙"和"螳螂嘴"

有的父母看到新生儿的上腭中线和齿龈切缘上有黄白色小斑点（即俗称的"马牙"），认为很不吉利，喜欢用针去挑或用毛巾去擦，这是绝对禁止的。因为"马牙"系上皮细胞堆积或黏液腺分泌物堆积所致，于出生后数周至数月自行消失，自行处理很容易引起感染。

在新生儿口腔两边颊黏膜处较明显地鼓起如药丸大小的东西，通常被称为"螳螂嘴"，其实它是颊黏膜下的脂肪垫。这层脂肪垫是每个正常新生儿所具有的，它不仅不会妨碍新生儿吸奶，反而有助于新生儿吸吮，属于新生儿的正常生理现象。千万不能用针挑或用粗布擦拭。因为在新生儿时期，唾液腺的功能尚未发育成熟，且口腔黏膜极为柔嫩，比较干燥，易受破损，加之口腔黏膜血管丰富，所以细菌极易由损伤的黏膜处侵入，发生感染。轻者局部出血或发生口腔炎，重者可引起败血症，危及新生儿的生命。

青灰色"胎记"

看到刚出生的宝宝身上有胎记的时候，不免有点揪心，不知道新生儿胎记对身体是不是有影响？一般情况下，正常新生儿的腰骶部、臀部及背部等处可见大小不等、形态不规则、不高出表皮的大块青灰色"胎记"，这是由于特殊的色素细胞沉积形成的。大多在4岁时就会慢慢消失，有时会稍迟，此现象为东方人所特有。

假月经

有些新妈妈看到出生后才几天的女宝宝阴道流出少量血液，很是紧张。其实这是一种正常现象，女宝宝出生后一周内，如出现大阴唇轻度肿胀，或阴道流出少量黏液及血性分泌物，称之为"假月经"。这是由于胎儿时期在母体内受到雌激素的影响，而出生后宝宝体内的雌激素大幅下降，使子宫及阴道上皮组织脱落，这是一种正常的生理现象，不必太担心，一般两三日内即消失，不必作任何处理。

金牌月嫂的育儿经

对于阴道流出的少量血液和分泌物，可用消毒纱布或棉签轻轻拭去，但不能局部贴敷料或敷药，这样反而会引起刺激和感染。

不管有没有假月经，女宝宝的生殖器都要新妈妈细心护理，保持干净是第一要素，给女宝宝洗小屁屁时，最好用流动水，还要给宝宝预备一个专门的洗屁屁盆。

新生儿"脱皮"

几乎所有的新生儿都会有脱皮的现象，不论是轻微的皮屑，或是像蛇一样的脱皮，家人都不必担心。只要宝宝饮食、睡眠都没问题就是正常现象。脱皮是因为新生儿皮肤最上层的角质层发育不完全引起脱落造成的。此外，新生儿连接表皮和真皮的基底膜并不发达，使表皮和真皮的连接不够紧密，造成表皮的脱落。这种脱皮的现象全身部位都有可能出现，但以四肢、耳后较为明显，只要于洗澡时使其自然脱落即可，无须特别采取保护措施或强行将脱皮撕下。若脱皮合并红肿或水疱等其他症状，则可能为病症，需要就诊。

新生儿"惊跳"反应

宝宝睡着后偶尔会有局部的肌肉抽动现象，尤其手指或脚趾会轻轻地颤动，常令新妈妈非常心疼。这种"惊跳"反应是由于新生儿神经系统发育不成熟所致。此时，只要新妈妈用手轻轻按住宝宝身体的任何一个部位，就可以使他安静下来。

内八脚和罗圈腿

新生儿生下来后，都会有内八脚和罗圈腿，有些旧习俗会用捆绑的方式纠正，其实这是不对的。内八脚和罗圈腿是由于子宫中空间有限，胎儿是以双腿交叉蜷曲，臀部和膝盖拉伸的姿势生长的，因此他的腿、脚向内弯曲。出生后，随着宝宝经常的运动，臀部和腿部的肌肉力量加强，宝宝的身体和脚就会慢慢变直。

偶尔打喷嚏

新生儿偶尔打喷嚏并非是感冒，新妈妈不用过分紧张。因为新生儿鼻腔血液的运行较旺盛，鼻腔小且短，若有外界的微小物质如棉絮、绒毛或尘埃等进入便会刺激鼻黏膜引起打喷嚏，这也可以说是宝宝代替用手自行清理鼻腔的一种方式。突然遇到冷空气也会打喷嚏，除非宝宝已经流鼻涕了，否则父母可以不用担心，千万不要擅自让宝宝服用感冒药。

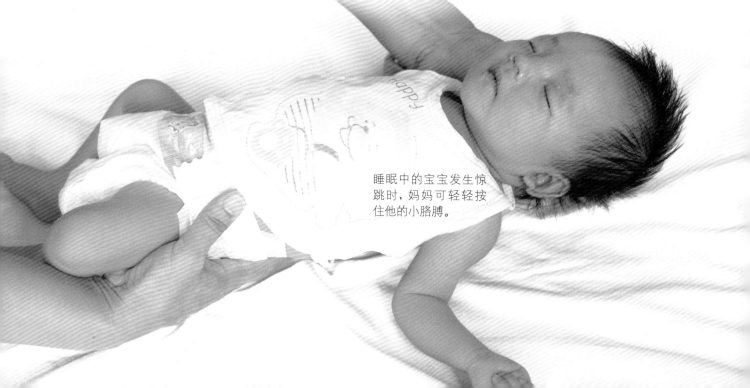

睡眠中的宝宝发生惊跳时，妈妈可轻轻按住他的小胳膊。

几个特殊的生理现象

一些新妈妈可能发现自己的宝宝会出现皮肤色变、眼白出血等"异常"情况，这其实是宝宝特殊的生理现象，出现率较低，一般情况下会自行好转，如果出现时间过长，就要请医生帮忙诊断了。

皮肤色变

有的新生儿出生后第一天皮肤会发红，并伴有针尖大小的红点。这可能是由于冷而干燥的外界环境及毒素的影响引起的。持续一两天后逐渐消退，出现脱屑，以足底、足心及皮肤皱褶处为多见，脱屑完毕后，皮肤呈粉红色。

眼白出血

新手爸妈看到宝宝眼白出血后，不要惊慌，这是由于头位顺产的新生儿，娩出的时候受到妈妈产道的挤压，视网膜和眼结膜会发生少量出血，俗称眼白出血，属于一种常见现象，一般几天以后宝宝自然就好了。

如果宝宝的眼睛长时间没有恢复正常，或伴有其他哭闹等反应，应及时就医。

红色尿

新生儿出生后 2~5 天，由于小便较少，加之白细胞分解较多，使尿酸盐排泄增加，可使尿液呈红色，并在排尿时出现啼哭，多在尿液染红尿布后被发现。这时可加大哺乳量或多喂温开水以增加尿量，防止结晶和栓塞。

隐睾

有男宝宝的家庭要特别留意一下宝宝是否有隐睾。隐睾是指男宝宝出生后单侧或双侧睾丸未降至阴囊而停留在其正常下降过程中的任何一处。也就是说阴囊内没有睾丸或仅有一侧有睾丸。大多数足月新生儿，出生时睾丸就已经下降到阴囊中了。如果长时间还没下降，就要及时看医生，以免影响宝宝睾丸的发育。

金牌月嫂的育儿经

约有 3% 刚出生的宝宝有隐睾，而早产儿则高达 30%。不过大多数宝宝在出生数月内或一年左右，睾丸在内分泌因素的作用下又可降入阴囊，所以可观察一段时间，不必急于手术治疗，最好还是请医生诊断。

除隐睾外，男宝宝的两个睾丸大小如果差别很大，也需要及时就医。

新生儿的喂养

喂养是父母一生的承诺，宝宝出生后第一口想吃的就是母乳。母乳是婴儿最健康、最理想的天然食品，母乳喂养更是母亲的神圣使命。当然，母乳不足时，就要考虑配方奶粉了。

母乳喂养

世上没有一间工厂能像妈妈一样可以生产出这么营养、这么适合宝宝喝的乳汁，妈妈的乳汁含有丰富的蛋白质、维生素、矿物质、免疫因子等。爱宝宝，就坚持给他喂母乳。

母乳是宝宝最好的食物

金水水，银水水，不如妈妈的奶水水。母乳含有宝宝所需的全部营养。母乳中的蛋白质与矿物质含量虽不如牛乳，却能调和成利于吸收的比例，使宝宝得到营养的同时，不会增加消化及排泄的负担。母乳中也有良好的脂肪酸比例、足够的氨基酸及乳糖等物质，对宝宝脑发育有促进作用。母乳中有专门抵抗入侵病毒的免疫抗体，可以让 6 个月之前的宝宝有效防止麻疹、风疹等病毒的侵袭，以及预防哮喘之类的过敏性疾病等。对于婴儿的免疫机能最重要的是产后 7 天内分泌的初乳（含免疫因子、双歧增殖因子、糖蛋白），新妈妈应尽早地哺育给宝宝。

分娩后半小时就可开奶

新妈妈尽早让宝宝尝到甘甜的乳汁，能使宝宝得到更多的母爱和温暖，减少来到人间的陌生感。一般情况下，若分娩时妈妈、宝宝一切正常，0.5~2 小时后就可以开奶。因此，建议产后半小时内开始哺乳。及早开奶有利于母乳分泌，不仅能增加泌乳量，而且还可以促进奶管通畅，防止奶胀及乳腺炎的发生。新生儿也可通过吸吮和吞咽促进肠蠕动及胎便的排泄。早喂奶还能及早建立起亲子感情，让母子关系更融洽。

金牌月嫂的育儿经

孕时、产后乳房会分泌出一些乳汁，加上出汗等原因，可能乳头上会积有垢痂。在第一次给宝宝哺乳前，应该用食用植物油涂抹在乳头的干垢痂上，使垢痂变软，然后用温开水洗净乳头。

给宝宝哺乳前，先用温水蘸湿毛巾，将乳房擦干净。

给宝宝哺乳后，可挤出几滴奶汁涂抹在乳头上。

找到最舒服的哺乳姿势

当妈妈怀抱着温暖的小人儿，心中千丝万缕的母爱化作香甜濡热的乳汁奔涌而出，感受着宝宝急促的吸吮、听着他响亮的吞咽、看着他的小脸因为这样贴近妈妈而流露出无比舒适幸福的表情，那美妙的哺乳时刻，永世难忘！那么，什么才是最舒服的哺乳姿势呢？

妈妈坐舒服：全身肌肉要放松，腰后、肘下、怀中要垫好枕头。如果坐在椅子上，踩只脚凳，将膝盖提高。如果坐在床上，就用枕头垫在膝盖下。不要前倾身体将奶头送进宝宝嘴里，而是利用枕头将宝宝抱到你胸前。

宝宝躺舒服：宝宝横躺在妈妈怀里，整个身体对着妈妈的身体，脸对着妈妈的乳房。宝宝的头应该枕在妈妈的前臂或者肘窝里，妈妈用前臂托住宝宝的背，用手托住宝宝的屁股或腿。

正确哺乳：鼓励宝宝正确地衔住乳房，宝宝吸吮的应该是妈妈的乳晕，这样才能有效地刺激乳腺分泌乳汁。仅仅吸吮乳头不仅不会让宝宝吃到奶，而且还会引起妈妈乳头的皲裂。

母乳不足怎么办

宝宝吸吮越多，妈妈产生的奶水越多。妈妈奶水不足时，可在一天之内坚持喂宝宝 12 次以上。

如果有条件，安排几天时间，让宝宝不离开自己，一有机会就喂奶，这样坚持三天，奶水量会明显增多。

喂完一边乳房，如果宝宝哭闹不停，不要急着给奶粉，而是换一边继续喂。一次喂奶可以让宝宝交替吸吮左右侧乳房数次。妈妈要记住，乳汁不会被吃干的，而是越吃越多。

如果已经采取混合喂养方式喂养宝宝，应逐渐减少喂奶粉的次数，而且一次喂奶不要先喂母乳、再喂奶粉，而是在确认母乳不足的情况下，另外加一顿奶粉。一定要让宝宝有几次纯粹吃母乳的机会，以慢慢削弱宝宝对奶粉的兴趣。

多么美妙、幸福的哺乳时刻！

母乳喂养最好按需哺乳

一位母亲曾这样说:"成功地分泌乳汁是每一位女人女性气质的自然表现,她不需要计算给宝宝喂奶的次数,就像她不需要计算亲吻宝宝的次数一样。"在给宝宝哺乳的时候,不必过于拘泥于书本或专家的建议,如要隔几个小时才能吃,每次吃多长时间等。只要按需哺乳即可,如果宝宝想吃,就马上让他吃,过一段时间之后,就会自然而然地形成吃奶的规律。按需哺乳可以使宝宝获得充足的乳汁,并且能有效地刺激泌乳。同时,宝宝的需要能及时得到满足,会激发宝宝身体和心理上的快感,这种最基本的快乐就是宝宝最大的快乐。

宝宝吃着奶睡着了,妈妈可轻捏宝宝的小鼻子,让他吐出乳头。

不要让宝宝含着乳头睡觉

几乎每个新生儿在夜间都会醒来吃两三次奶,整晚睡觉的情况很少见。因为此时宝宝正处于快速生长期,很容易出现饿的情况,如果夜间不给宝宝吃奶,宝宝就会因饥饿而哭闹。由于夜晚是睡觉的时间,妈妈在半睡半醒间给宝宝喂奶很容易发生意外,因此需要特别注意。

别让宝宝含着乳头睡觉,含着乳头睡觉,既影响宝宝睡眠,也不易养成良好的吃奶习惯,而且堵着鼻子容易造成窒息,也有可能导致乳头皲裂。

新妈妈晚上喂奶最好坐起来抱着宝宝哺乳,结束后,可以抱起宝宝在房间内走动,也可以让宝宝听妈妈心脏跳动的声音,或者是哼着小调让宝宝快速进入梦乡。

金牌月嫂的育儿经

很多宝宝夜间吃奶时,很容易感冒,这也是妈妈不愿夜间喂奶的一个原因。妈妈在给宝宝喂奶前,让爸爸关上窗户,准备好一条较厚的毛毯,妈妈将宝宝裹好。喂奶时,不要让宝宝四肢过度伸出袖口;喂奶后,不要过早将宝宝抱入被窝,以免骤冷骤热增加感冒概率。

宝宝拒绝吃奶怎么办

宝宝不像以前那么爱吃奶，有时甚至看见奶头就躲，这种情况多数是因为身体不适引起的。

宝宝用嘴呼吸，吃奶时吸两口就停，这种情况可能是由宝宝鼻塞引起的，应该为宝宝清除鼻内异物并认真观察宝宝的情况。

宝宝吃奶时，突然啼哭，害怕吸吮，可能是宝宝的口腔受到感染，吮奶时因触碰而引起疼痛。

宝宝精神不振，出现不同程度的厌吮，可能是因为宝宝患了某种疾病，通常是消化道疾病，应尽快送医院诊治。

母乳喂养的宝宝需要喝水吗

母乳喂养的宝宝一般不需要喝水，这是因为母乳中含有充足的水分，吃母乳的宝宝用不着另外补充水。母乳中的水分就可满足宝宝的需要。但如果是喝配方奶的新生儿，最好在两次喂哺之间加点水。

要不要给宝宝吃鱼肝油和钙

宝宝出生后半月，妈妈就要为宝宝补充鱼肝油了。如果宝宝没有明显的缺钙征象，就不要额外补充钙剂，只要每天吃鱼肝油400~800国际单位就可以了，这是预防量。因为母乳和奶粉中含钙量较高，而维生素D的含量较少，因此必须额外补充鱼肝油，以促进钙的吸收。另外，阳光照射皮肤也是促进钙吸收的一个方法。

有些新妈妈不会给宝宝喂鱼肝油，其实方法很简单。

❶ 妈妈洗净手，把鱼肝油滴剂的口放在开水里使之融化。

❷ 把宝宝抱起来，头稍向后仰。

❸ 把鱼肝油挤进宝宝嘴里，保持宝宝后仰姿势10秒钟即可。

金牌月嫂的育儿经

如果宝宝有明显的缺钙征象，出现易激惹、烦躁、睡眠不安、易惊、夜啼、多汗等症状，最好到医院做一下检查，根据医生指导用药，并定期复查。

妈妈一定不要过量给宝宝补钙。如果过量容易导致宝宝便秘，甚至干扰其他微量元素如锌、铁的吸收和利用。

怎样判断新生儿是否吃饱

人工喂养的宝宝每天吃多少奶，妈妈可以非常准确地掌握，但母乳喂养的宝宝每天能吃多少奶、是否吃饱了，妈妈常常心中没底。单纯从宝宝吃奶时间的长短来判断是否吃饱了是不可靠的，因为有的宝宝即使吃饱了，也喜欢含着乳头吸吮着玩。那怎样才能知道宝宝是不是吃饱了呢？可从妈妈和宝宝两方面来判断。

从妈妈的感觉来看

从妈妈乳房的感觉看，哺喂前乳房比较丰满，哺喂后乳房较柔软，妈妈有下乳的感觉。

从宝宝的表现来看

从宝宝的情况看，能够听到连续几次到十几次的吞咽声；两次哺喂间隔期内，宝宝安静而满足。

吃饱后的宝宝可安静地睡两三个小时或玩耍一会儿。倘若宝宝没吃饱，常表现为哭闹、烦躁、吸吮指头和异物、渴望妈妈的拥抱等。除此之外，还可以观察宝宝的大小便，吃母乳的宝宝一般每天大便三四次；人工喂养的宝宝，每天大便 2 次左右，金黄色，呈糊状。如果没吃饱，大便次数就会减少。

每天哺乳不少于 8 次

新妈妈分泌乳汁后 24 小时内应该哺乳 8~12 次。哺乳时让新生儿吸空一侧乳房后再吸另一侧乳房，也可以两侧乳房轮换着喂。如果宝宝未将乳汁吸空，新妈妈应该自行将乳汁挤出或者用吸奶器把乳汁吸出。

如果出现乳房胀痛的现象，更应该及时频繁地哺乳，以避免乳汁在乳腺管淤积而造成乳腺炎。另外热敷按揉乳房也有利于乳汁的正常分泌。

吃奶后宝宝马上安稳地入睡，醒后精神很好，这就表示宝宝吃饱了。

哺乳时的注意事项

在哺乳时，妈妈要注意以下三点：

协助宝宝呼吸：宝宝的鼻子轻碰妈妈的乳房，这样宝宝的呼吸是通畅的。如果妈妈的乳房阻挡了宝宝的鼻孔，可以试着轻轻按下乳房，协助宝宝呼吸。

妈妈要多摄取液体：每次喂奶之前及中间，最好喝一杯水、果汁或其他有益液体，有助乳汁充盈，避免母亲自身脱水。

按需喂奶、多喂勤喂：在奶下来后的最初一段时期内，平均每24小时至少哺乳8~10次。

新妈妈浴后不宜马上哺乳

许多处在哺乳期的妈妈很喜欢洗完热水澡后，暖融融地抱起宝宝给他哺乳。其实新妈妈刚洗完热水澡后，并不太适宜立即哺乳。因为热水洗浴，体热蒸腾，乳汁的温度也比平时要高，这时哺喂，可能会损害到宝宝的健康。

宝宝浴后不要马上喂奶

刚洗完澡后，宝宝的气息产生变化，气息未定时就吃奶会使宝宝脾胃受损，甚至可能患上赤白痢疾。所以，洗浴之后，应当让宝宝休息一段时间。

服药 4 小时后再哺乳

服用药物时，为了减少宝宝吸收的药量，新妈妈可以在哺乳后马上服药，并尽可能推迟下次哺乳时间，最好是间隔 4 小时以上，以便更多的药物代谢完成，使母乳中的药物浓度达到最低。

金牌月嫂的育儿经

除服药后不能马上哺乳外，新妈妈在愤怒、焦虑、紧张、疲劳时也不宜哺乳，会造成肝郁气滞，甚至产生血瘀，使得乳汁量少甚至变色，这就是民间常说的"热奶"。宝宝喝了热奶后心跳会加快，变得烦躁不安，甚至夜睡不宁、喜哭闹，并伴有消化系统紊乱等症状。

哺乳前喝一杯鲜榨的热果汁，让乳汁充盈，宝宝吃奶会更畅快！

人工喂养

如果新妈妈因特殊原因不能喂哺宝宝时，可选用代乳品喂养宝宝。但是如果新妈妈因为乳汁少或其他人为因素想放弃母乳喂养，那就非常不应该，新妈妈绝不能剥夺宝宝吃母乳的权利！

不宜母乳喂养的情况

虽然母乳喂养对母子双方都有益，但在有些情况下，如妈妈有以下疾病时，为了宝宝的身体健康，不能进行母乳喂养：

传染性疾病。

代谢疾病：甲状腺功能亢进、甲状腺功能减退、糖尿病。

肾脏疾患：肾炎、肾病。

心脏病：风湿性心脏病、先天性心脏病、心脏功能低下。

其他类疾病：服用哺乳期禁忌药物、急性或严重感染性疾病、乳头疾病、孕期或产后有严重并发症、红斑狼疮、精神疾病、恶性肿瘤、艾滋病、做过隆胸手术等。

不能母乳喂养也不要着急

有的时候，由于各种原因，妈妈不得不放弃母乳喂养宝宝，妈妈不要为此感到遗憾，也不要心存内疚。出生在现代的宝宝是很幸运的，尽管不能吃妈妈的奶，但还有配方奶，一样能让宝宝健康成长。进行人工喂养，应该注意调配奶粉的浓度。刚出生的宝宝，消化功能弱，不能消化浓度较高的奶粉。因此，给婴儿吃配方奶粉要严格按照配方奶粉标明的配比量，不能过稀，也不能过浓，两种配比都会影响宝宝的健康发展，妈妈要特别注意。

配方奶的选择

市场上琳琅满目的配方奶让新妈妈很是纠结，不知道该选择哪一种。其实，只要是国家正规厂家生产、销售的奶粉，适合新生儿阶段的配方奶都可以选用。但在选用时需看清生产日期、保质期、保存方法、厂家地址、电话、调配方法等。最好选择知名品牌、销售量大的奶粉。如果宝宝对动物蛋白有过敏反应，那么妈妈应选择全植物蛋白的婴幼儿配方奶粉。再次强调，除非特殊情况，最好坚持母乳喂养。

人工喂养的宝宝，两次喝奶中间加喂一次温开水。

金牌月嫂的育儿经

一旦选择了一种品牌的奶粉，没有特殊情况不要轻易更换。如果频繁更换，会导致宝宝消化功能紊乱和喂哺困难，无形中增添了喂养的麻烦。

不要用开水冲调奶粉

不少父母喜欢用开水冲奶粉，这是错误的做法，因为水温过高会使奶粉中的乳清蛋白产生凝块，影响消化吸收。另外，某些遇热不稳定的维生素会被破坏，特别是有的奶粉中添加的免疫活性物质会被全部破坏。一般冲调奶粉的水温控制在40~60℃。不同品牌的奶粉会有不同的要求。可先在奶瓶里放入温水，然后放适量的奶粉，盖紧盖子之后摇匀就可以给宝宝喝了。

冲泡奶粉注意冲调比例

新生儿虽有一定的消化能力，但调配过浓会增加新生儿的消化负担，冲调过稀则会影响宝宝的生长发育。正确的冲调比例，按重量比应是1份奶粉配8份水，但此方法不方便，按容积比例冲调比较方便，容积比应是1份奶粉配4份水。奶瓶上的刻度指的是毫升数，如将奶粉加至50毫升刻度，加水至200毫升刻度，就冲成了200毫升的奶，这种奶又称全奶。冲时最好是按说明书上或奶粉包装上的指示进行操作，另外，配方奶粉要妥善保存，应贮存在干燥、通风、避光处，温度不宜超过15℃。

正确挑选奶瓶和奶嘴

面对货架上各式各样的奶瓶，形式各异的奶嘴，父母有时真是非常困惑，不知道如何选择。其实只要选择有"道"，找符合新生儿的就够了。

奶瓶的选择

奶瓶从制作材料上分主要有两种——PC制和玻璃制的。玻璃奶瓶更适合新生儿阶段，由妈妈拿着喂宝宝。形状最好选择圆形，因为新生儿时期，宝宝吃奶、喝水主要是靠妈妈喂，圆形奶瓶内颈平滑，里面的液体流动顺畅，适合新生儿期使用。

奶嘴的选择

奶嘴有橡胶和硅胶两种。相对来说，硅胶奶嘴没有橡胶的异味，容易被宝宝接纳，且不易老化，有抗热、抗腐蚀性。宝宝吸奶时间应在10~15分钟，太长或过短都不利于宝宝口腔的正常发育，圆孔S号最适合尚不能控制奶量的新生儿用。

无论是奶瓶、奶嘴还是配方奶，都要选择适合新生儿阶段专用的。

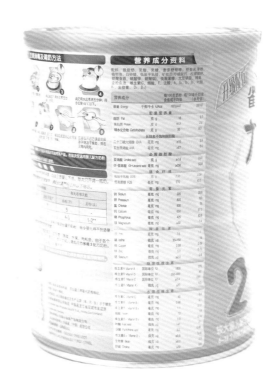

宝宝不认奶嘴怎么办

在喂宝宝母乳的同时，往往没有料到让他接受奶嘴也会是一件难事。宝宝不认奶嘴一般主要有两个原因：

母乳喂养的宝宝不喜欢吃奶嘴。这是最常见的原因，大多数母乳喂养的宝宝都会碰到这样的问题。

不喜欢奶粉的味道。宝宝虽小，也有自己的主意，有自己的口味，他可能不喜欢这个奶粉的味道。

宝宝不认奶嘴最好还是继续母乳喂养，或者给宝宝选择他喜欢接受的奶粉。

警惕奶瓶刻度是否准确

对于奶瓶上刻度数的准确性，绝大多数妈妈都深信不疑。其实，就是这个常常让人忽略的刻度数，可能会给宝宝的健康带来重要的影响。

市场上的奶瓶多为80ml、120ml、160ml、200ml、240ml等几种容量，奶瓶上标注容积刻度，便于父母掌握宝宝的进食量，有利于宝宝的健康成长。但是一些市售奶瓶的刻度并不是标准刻度，这要引起妈妈的注意。大多选择替代乳品如配方奶粉的宝宝，主要靠奶粉提供全部营养，如果冲调奶粉时以奶瓶上的错误刻度为准，时间一长，势必对宝宝的健康不利。

奶具消毒处理

出生后的新生儿有一定的免疫力，但对细菌的抵抗力还很弱，因此要特别注意奶具的消毒。尤其是在夏季，奶瓶每天要用沸水消毒一次，不要使用消毒液和洗碗液。消完毒一定要烘干或擦干，不要带水放置。

有一些新妈妈给宝宝冲奶时，总是先倒点水涮一涮奶瓶，其实这样做并不好。如果奶瓶干爽清洁就没必要再涮；如果有灰尘或污渍，涮也涮不干净，必须重新清洁消毒。

宝宝喝剩下的奶一定要弃掉，奶瓶洗净消毒烘干擦干，罩在洁净的盖布下以备用，不要暴露在外以防落入灰尘。

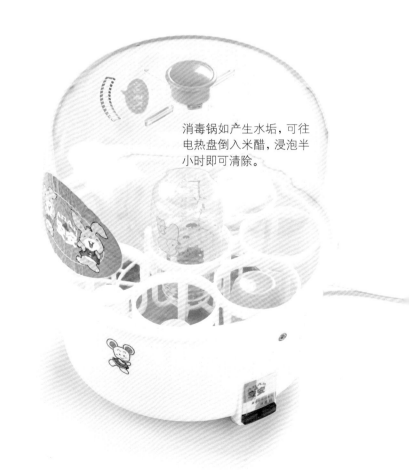

消毒锅如产生水垢，可往电热盘倒入米醋，浸泡半小时即可清除。

混合喂养

有些新妈妈由于母乳分泌不足或因其他原因不能完全母乳喂养时，可选择母乳和代乳品混合喂养的方式，但应注意妈妈不要因母乳不足而放弃母乳喂养，至少坚持母乳喂养宝宝6个月后再完全使用代乳品。

一次只喂一种奶

很多新妈妈误以为混合喂养就是每次先吃母乳再吃配方奶，这是不对的。应当一次只喂一种奶，吃母乳就吃母乳，吃配方奶就吃配方奶。不要先吃母乳，不够了，再换奶粉。这样不利于宝宝消化，容易使宝宝对乳头产生错觉，可能引发宝宝厌食奶粉，拒用奶瓶喝奶。

新妈妈要充分利用有限的母乳，尽量多喂宝宝母乳。母乳是越吸越多，如果妈妈认为母乳不足，而减少喂母乳的次数，会使母乳分泌越来越少。母乳喂养次数要均匀分开，不要很长一段时间都不喂母乳。

千万不要放弃母乳

混合喂养最容易发生的情况就是放弃母乳喂养。新妈妈一定要坚持给宝宝喂奶。有的新妈妈奶下得比较晚，但随着产后身体的恢复，乳量可能会不断增加。如果放弃了，就等于放弃了宝宝吃母乳的希望，希望妈妈们能够尽最大的力量用自己的乳汁哺育可爱的宝宝。

吃完母乳后再添加多少配方奶合适

混合喂养的宝宝添加多少配方奶才合适？这可难坏了新妈妈。新妈妈可以先从少量开始添加，然后观察宝宝的反应。如果宝宝吃后不入睡或不到1小时就醒，张口找乳头甚至哭闹，说明他还没吃饱，可以再适当增加量。以此类推，直到宝宝吃奶后能安静或持续睡眠1小时以上。

由于每个宝宝的需要不尽相同，所以父母只有通过仔细观察和不断尝试，才能了解自己宝宝真正的需要量。

金牌月嫂的育儿经

夜间最好是母乳喂养。夜间妈妈休息，乳汁分泌量相对增多，宝宝的需要量又相对减少，母乳基本会满足宝宝的需要。但如果母乳量确实太少，宝宝吃不饱，就会缩短吃奶时间，影响母子休息，这时就要以配方奶为主了。

混合喂养的宝宝，白天最好采用一顿母乳一顿配方奶的哺喂方法。

晚上宝宝吃奶量相对较少，一般吃母乳就能满足身体需要。

新生儿的护理

宝宝从出生起到第 28 天为新生儿期，刚出生的宝宝就像嫩草之芽、幼蚕之苗，肌肤娇嫩，抗病力弱，对外界环境还需要逐步适应，所以特别需要新妈妈谨慎抚养，精心护理。

解读民间习俗的错误经验

可爱宝宝的诞生是家里的喜事，却也容易成为老一辈与新爸爸、新妈妈闹矛盾的"导火线"。年轻人按照老一辈的经验照顾新生儿就能保障宝宝的健康吗？金牌月嫂告诉我们，育儿老经验中也有不少误区，需要科学选择。

挤乳头

民间习俗认为，给女宝宝挤乳头，会避免其成人后乳头凹陷，这是非常错误的。因为挤捏新生儿乳头，不但不能纠正乳头凹陷，反而会引起新生儿乳腺炎。实际上，新生儿乳头凹陷不需要特别处理。

过小满月

民间习惯上把新生儿出生后的第 12 天，当作"小满月"来庆贺。新生儿出生刚 12 天，对外界环境还很不适应，抵抗病菌、病毒侵入的能力还非常脆弱，而新手爸妈这时也很疲劳，此时接受亲戚朋友的探视和祝贺，的确为时尚早。

绑腿

家里的老人总喜欢给新生儿绑腿，这让新妈妈非常心疼。其实，新生儿根本不需要绑腿，腿被绑了反而会限制宝宝的运动和自由，不利于宝宝骨骼的生长，而且会感觉很不舒服。腿直与不直与先天的遗传和后天的营养有关系，与绑不绑腿无关。

金牌月嫂的育儿经

虽然宝宝不用绑腿，但是妈妈可以经常帮宝宝把腿伸直揉一揉，另外不要让宝宝太早站立，这样腿部承重过早，腿形容易不直。如果宝宝一周岁的时候腿还是不直，就要考虑是不是由缺钙引起的佝偻病了。

一手轻握宝宝脚踝，一手拇指依次轻捏宝宝脚趾，换脚进行，每次 2 分钟。

两手拇指轻揉宝宝足底，力度以宝宝舒服为宜，两脚交替进行 5 分钟。

不能见光

新妈妈都知道新生儿不能被强烈光线照射，否则会伤害宝宝娇嫩的眼睛，但这并不等于说新生儿不能见光。如果把宝宝的房间布置得很暗，几乎没有光线，这对新生儿的视觉发育很不利。其实，白天不用给宝宝房挂上那种质地很厚、颜色很深的窗帘，如果光线特别强烈，可挂一层浅颜色的薄窗帘。

睡硬枕头

让新生儿睡硬枕头，这是民间育儿的另一个习惯做法，认为这样能够睡出好头形。这同样是没有科学根据的。新生儿大部分时间都是躺着，枕头会长时间伴随着新生儿。枕头过硬，会使新生儿头皮血管受压，导致头部血液循环不畅，而且在新生儿不断转动头部的同时，过硬的枕头，会把宝宝的头发蹭掉，形成"枕秃"。其实，从宝宝出生到3个月时，都不需要枕头。

剃满月头

一些地方有这样的习俗，婴儿满月要剃个"满月头"，把胎毛甚至眉毛全部剃光。认为这样做，将来宝宝的头发、眉毛会长得又黑、又密。专家认为，头发的好与坏与剃不剃胎毛并无关系，而是与宝宝的生长发育、营养状况及遗传等有关。此外，宝宝皮肤薄、嫩、抵抗力弱，剃刮容易损伤皮肤，引起皮肤感染。

裹"蜡烛包"

把新生儿像蜡烛一样包起来，认为这样才睡得稳，这是民间育儿特别普遍的一种做法。但是裹"蜡烛包"不符合宝宝生理发育要求，容易限制其活动和生长发育。其实只要室温、被子厚度合适，姿势正确，睡眠习惯良好，宝宝就能睡个安稳觉。新妈妈也可以选择能自由活动的斗篷式拉链袋、有袖大衣式睡袋等替代"蜡烛包"。

新生儿不用枕枕头，如果裹在襁褓里睡觉，可将毛巾两次对折后垫在宝宝头下。

日常护理

初为人父人母，除了喂奶、换尿布，当遇到宝宝哭闹时，也会紧张，不知道宝宝哪里不舒服了。请护理人士或有经验的长辈一看，原来是宝宝衣服穿多了热的，或者是眼睛有了眼屎等。像这些小问题，完全可以学会自己护理，不用每次都紧张兮兮的。下面就由金牌月嫂来教新手爸妈如何护理宝宝。

脐带的护理

新妈妈对小宝宝的脐带要付出很大的心血，千万不可偷懒，这跟宝宝的健康息息相关。

脐带未脱落前，要保持脐带及根部干燥，出院后不要用纱布或其他东西覆盖脐带。还要保证宝宝穿的衣服柔软、纯棉、透气，肚脐处不要有硬物。每天用医用棉球或棉签蘸浓度为 75% 的酒精擦一两次，沿一个方向轻擦脐带及根部皮肤进行消毒，注意不要来回擦。

脐带脱落后，若脐窝部潮湿或有少许分泌物渗出，可用棉签蘸浓度为 75% 的酒精擦净，并在脐根部和周围皮肤上抹一抹。若发现脐部有脓性分泌物、周围的皮肤红肿等现象，不要随意用龙胆紫、碘酒等，以防掩盖病情，应找儿科医生处理。

眼睛的护理

小宝宝的眼睛很脆弱也很稚嫩，在对待宝宝的眼睛问题上一定要谨慎。宝宝眼部分泌物较多，每天早晨要用专用毛巾或消毒棉签蘸温开水从眼内角向外轻轻擦拭，去除分泌物。具体操作方法如下：

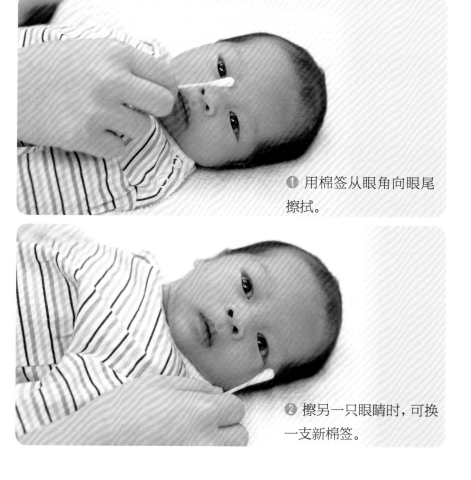

❶ 用棉签从眼角向眼尾擦拭。

❷ 擦另一只眼睛时，可换一支新棉签。

口腔的护理

新生儿的口腔黏膜又薄又嫩，新妈妈不要试图去擦拭它。要保护宝宝口腔的清洁，可以在给他喂奶之后再喂些白开水。另外，正常新生儿和患口腔炎的新生儿要区别对待和护理。

正常新生儿口腔护理

只需喂奶后擦净口唇、嘴角、颌下的奶渍，保持皮肤黏膜干净清爽即可。

患口腔炎的护理

❶ 做口腔护理前，先洗净双手，将新生儿侧卧，用毛巾围在颌下或枕上，防止沾湿衣服及枕头；

❷ 用镊子夹住盐水棉球 1 个，先擦两颊内部及齿龈外面；

❸ 再擦齿龈内面及舌部，每擦一个部位，至少更换一个棉球。注意勿触及咽部，以免引起恶心。

如果发现宝宝的口腔黏膜有白色奶样物，喝温水也冲不下去，而且用棉签擦拭也不易脱落，并有点充血的时候，则可能是鹅口疮，新妈妈要注意哺乳前清洗奶头，宝宝的奶具也要严格消毒。

鼻腔的护理

宝宝跟大人一样，如果鼻痂或鼻涕堵塞了鼻孔，会很难受。这时新妈妈可用细棉签或小毛巾角蘸水后湿润鼻腔内干痂，再轻轻按压鼻根部。

一般情况下，大部分的鼻涕会自行消失。不过，如果鼻子被过多的鼻涕堵塞，宝宝呼吸会变得很难受，这时可以用球形的吸鼻器把鼻涕清理干净。方法是：

❶ 让宝宝仰卧，往他的鼻腔里滴 1 滴盐水溶液；

❷ 把吸鼻器插入一个鼻孔，用食指按压住另一个鼻孔，把鼻涕吸出来；

❸ 然后再吸另一个鼻孔。但动作一定要轻柔，以免伤害宝宝脆弱的鼻腔。

金牌月嫂的育儿经

如果没有球形吸鼻器，也可以用棉棒将鼻痂沾出，或者也可用软物刺激鼻黏膜引起喷嚏，鼻腔的分泌物即可随之排除，从而使新生儿鼻腔通畅。

用棉棒蘸清水往鼻腔内各滴一两滴。

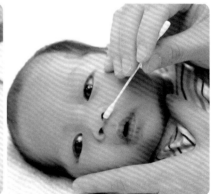

经一两分钟待鼻痂软化后再用干棉棒旋转着将鼻痂沾出。

皮肤的护理

新生儿粉嫩、细滑的皮肤非常惹人怜爱，新妈妈在怜爱之余也要注意对宝宝皮肤的护理。因为宝宝皮肤的角质层薄，皮下毛细血管丰富，要注意避免磕碰和擦伤。此外，新生儿皮肤皱褶较多，积汗潮湿，夏季或肥胖儿容易发生皮肤糜烂。给新生儿洗澡时，要注意皱褶处的清洗，动作轻柔，不要用毛巾来回擦洗。

由于宝宝皮肤尚未发育成熟，所以显得特别娇气敏感，易受刺激及感染，在护理宝宝皮肤的时候，应选用符合国家标准规定的婴儿专用产品，既能全面保护宝宝皮肤，又不含刺激成分。

给宝宝洗澡后，在皮肤褶皱处及臀部擦少许婴儿专用爽身粉即可，不要擦得过多，以免因受潮而形成结块，颈部不宜直接擦粉，应擦在手上再涂抹，以免宝宝吸入。

囟门的护理

新生儿总有很多特别娇弱的部位，囟门就是一个非常娇弱的地方，父母不敢随便碰。其实新生儿的囟门是需要定期清洗的，否则容易堆积污垢，引起宝宝头皮感染，所以要定期清洁，清洁时一定要注意：用宝宝专用洗发液，不能用香皂，以免刺激头皮诱发湿疹或加重湿疹；清洗时手指应平置在囟门处轻轻地揉洗，不应强力按压或强力搔抓。

耳朵的护理

新妈妈千万要记住，不要尝试给小宝宝掏耳垢，因为这样容易伤到宝宝的耳膜，而且耳垢可以保护宝宝耳道免受细菌的侵害。洗澡时千万不要让水进到宝宝的耳朵里。

金牌月嫂的育儿经

妈妈如果觉得宝宝的耳朵脏脏的，可以按照以下的方法来给宝宝清洁耳朵。

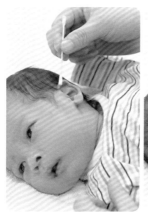 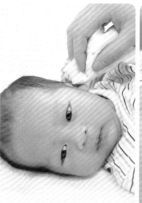 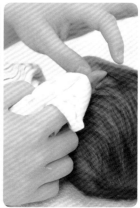

用棉签蘸些温水拭干外耳道及外耳。

棉布浸湿，轻擦宝宝外耳的褶皱和隐蔽的部分。

最后清洁耳背，可涂些食用植物油。

女宝宝外阴怎么护理

较之于男宝宝，女宝宝的外阴更要新妈妈细心护理，并且这个好习惯要一直坚持下去。

首先，每次给女宝宝换尿布时以及她每次大小便后，最好都要仔细擦拭宝宝的外阴。用柔软、无屑的卫生纸巾擦拭她的尿道口及其周围。擦拭时，方向由前向后，以免不小心让粪便残渣进入宝宝阴部。

其次，给女宝宝清洗外阴时，最好每天用温水清洗两次。女宝宝阴部的清洗顺序跟擦拭的方向一样，一定要从前向后。方法如下：

❶ 用一块干净的纱布从中间向两边清洗宝宝的小阴唇。再从前往后清洗她的阴部。

❷ 接下来清洗宝宝的肛门。尽量不要在清洗肛门后再擦洗宝宝的阴部，避免交叉感染。

❸ 再把宝宝大腿根缝隙处清洗干净，这里的褶皱容易堆积汗液。

❹ 最后，用干毛巾擦干。

此外，女宝宝的尿布或纸尿裤要注意经常更换。为女宝宝涂抹爽身粉时不要在阴部附近涂抹，否则粉尘极容易从阴道口进入阴道深处，而引发不适。

清洗男宝宝生殖器注意事项

父母需要注意男宝宝外生殖器的日常护理，因为男宝宝的外生殖器皮肤组织很薄弱，几乎都是包茎，很容易发生炎症。

清洗时要先轻轻抬起宝宝的阴茎，用一块柔软的纱布轻柔地蘸洗根部。然后清洗宝宝的阴囊，这里褶皱多，较容易藏匿汗污。包括腹股沟的附近，也要着重擦拭。清洗宝宝的包皮时，用你的右手拇指和食指轻轻捏着宝宝阴茎的中段，朝他身体的方向轻柔地向后推包皮，然后在清水中轻轻涮洗。向后推宝宝的包皮时，千万不要强力推拉，以免给宝宝带来不适。

清洗男宝宝外生殖器的水，温度应控制在40℃以内，以免烫伤宝宝娇嫩的皮肤。最理想的温度是接近宝宝体温的37℃左右。

另外，平时给男宝宝选择的纸尿裤和裤子要宽松，不要把会阴部包裹得太紧。如果宝宝没有使用纸尿裤，在他排尿后，最好用干净的无屑纸巾为他擦干尿液，以保持局部干爽。

男宝宝的外生殖器最怕热，洗澡水温要控制在40℃以内。

新生儿衣服的选择

新生宝宝的皮肤特别娇嫩，容易过敏，所以宝宝衣物一定要注意安全、舒适和方便三原则。

安全

选择正规厂家生产的婴儿服装，上面有明确的商标、合格证、产品质量等级等标志。不要选择有金属、纽扣或小装饰挂件的衣服，因为如果不够牢固的话，可能会被扯掉而造成危险。

尽量选择颜色浅、色泽柔和、不含荧光成分的衣物。

舒适

纯棉衣物手感柔软，能更好地调节体温。注意衣服的腋下和裆部是否柔软，这是宝宝经常活动的关键部位，面料不好会让宝宝不舒服。

新衣服在穿之前一定要拆掉衣服的商标，以免摩擦到宝宝的皮肤。

要注意观察内衣的缝制方法，贴身的那面没有接头和线头的衣服是最适合新生宝宝的。

方便

前开衫的衣服比套头的方便。松紧带的裤子比系带子方便，但是注意别太紧了。

新生儿的衣服如果有扣子，要随时检查是否牢靠。

如何清洗宝宝的衣服

新生儿肌肤娇嫩，父母在选择衣服的时候要非常注意，在清洗宝宝衣物时也有很多注意事项。

彻底漂洗

洗净污渍，只是完成了洗涤程序的一半，接下来要用清水反复过水洗两三遍，直到水清为止。否则，残留在衣物上的洗涤剂或肥皂对宝宝的危害，绝不亚于衣物上的污垢。

为了避免细菌交叉感染，宝宝的衣服最好用专门的盆单独手洗。

少用化学物质

如果一定要用清洁用品，得选用婴儿专用品。需要指出的是，消毒液等消毒产品千万不要使用，因为它有很强的刺激性，很难彻底漂洗干净。肥皂刺激性较小，用来清洗婴儿贴身内衣最合适。

在阳光下暴晒

婴儿衣物漂洗干净后，最好用晒太阳的办法除菌。如果碰到阴天，可以在晾到半干时，用电熨斗熨一下，熨斗的高温同样也能起到除菌和消毒的作用。

新生儿穿多少衣服合适

新生儿大多数时间都是在室内的，而且小宝宝的新陈代谢也比较快，所以不用穿太多，这样还有利于增强抵抗力。一般宝宝比大人多穿一件衣服就可以了，如果怕他着凉，可以在里面加个背心或者小肚兜。

不要给宝宝佩戴饰物

爱宝宝，最好不要给他佩戴过多的饰物。通常在民间习俗里，认为给宝宝戴饰物有吉祥祈福的意思。现在生活水平越来越高，更多的爷爷奶奶、外公外婆、爸爸妈妈愿意为宝宝买一些金银珠宝首饰，如长命锁、如意金铃等。其实给新生儿佩戴饰物，存在很多隐患，如宝石、金银器等挂件的细绳或细链易勒伤宝宝的脖子，或引起血液流通不畅。另外，饰物缝隙中的细菌可能通过口腔进入体内，造成细菌感染，还有的宝石有放射性物质。

怎样给宝宝包襁褓

古人常说："初生儿出月，必须入襁褓，襁褓之道，必须得宜。"所谓襁褓，即用棉布做成的被、毯，以包裹新生儿。新生儿刚离开母体，从体态上常保持胚胎时的姿势，四肢屈肌较紧张，入襁褓是帮助其适应新的肢体顺直状态。但怎样给宝宝包襁褓呢？

❶ 把毯子铺在一个平坦的地方，将右上角折下约15厘米。把你的宝宝仰面放在毯子上，头部枕在折叠的位置。

❷ 把毯子靠近宝宝左手的一角拉起来盖住宝宝的身体，并把边角从宝宝的右边手臂下侧掖进宝宝身体后面。

❸ 把宝宝右臂边的一角拉向身体左侧，并从左侧掖进身体下面。

❹ 将毯子的下角即宝宝脚的方向，折回来盖到宝宝的下巴以下，把被角掖到被子里。也可以只包宝宝胳膊以下的身体，这样宝宝就能活动小手了。

宝宝正确的穿衣方法

　　给宝宝穿衣服，这可难坏了不少新妈妈。因为宝宝全身软软的，四肢呈强硬的屈曲状，宝宝也不会配合穿衣，妈妈笨手笨脚地，还会引起宝宝哭闹，往往弄得手忙脚乱。其实只要方法得当，给宝宝穿衣还真不是一件复杂的事。

穿上衣

❶ 先将衣服平放在床上，让宝宝平躺在衣服上。

❷ 将宝宝的一只胳膊轻抬，先向上再向外侧伸入袖子中。

❸ 将身子下面的衣服向对侧稍稍拉平整。

❹ 抬起宝宝另一只胳膊，使肘关节稍稍弯曲，将小手伸向袖子中，并将小手拉出来。

❺ 再将衣服带子系好就可以了。

金牌月嫂的育儿经

　　给宝宝穿上衣时，也可以先让宝宝躺在床上，妈妈的手从上衣袖口伸到袖子里，再从袖子内口伸出来，另一只手将宝宝的小手抓住并送入妈妈袖子里的手中，再将小手轻轻拉出来，再用同样的方法将另一只袖子穿上。切记动作一定要轻柔。

穿裤子

相对于穿上衣来说，穿裤子比较容易。只要将宝宝的双脚分别放在裤腿中，妈妈的手从裤脚管中伸进去，拉住宝宝的小脚，将裤子向上提就可以了。

穿连体衣

❶ 先将连体衣解开带子，平铺在床上，让宝宝躺在上面。

❷ 按照穿上衣的方法穿上连体衣。

❸ 给宝宝整理好衣服，系上带子和扣子就可以了。

连体衣的袖子一般都较长，妈妈可帮宝宝轻挽起来，让宝宝小手活动更自如。

跟妈妈睡还是单独睡

宝宝最喜欢妈妈身上熟悉的味道，所以，新妈妈一定不要吝啬你的抚摸和拥抱。尤其是在晚上，最好跟宝宝一起睡，这样既方便晚上哺乳，而且如果宝宝晚上醒来，看到妈妈在身边，感受到妈妈熟悉的气息，会很快安睡。

宝宝睡觉时，家人需要蹑手蹑脚吗

不要因为宝宝一睡觉就勒令全家人不能发出任何响声，走路都要蹑手蹑脚的，生怕惊醒了他。其实宝宝在睡觉，还是要保持正常的生活声音，只要适当放小音量就行。如果养成了必须非常静的习惯，反而会让宝宝睡不踏实，一有响动就会惊醒，而且你也做不成任何事。

宝宝睡多久才正常

宝宝就像个小猪，每天除了吃就是睡。其实，新生儿平均每天睡 18~20 小时是很正常的现象，到两三个月时会缩短到 16~18 小时，4~9 个月缩短到 15~16 小时。随着年龄的增长和身体的发育，他玩耍的时间会慢慢加长，所以睡觉的时间也开始慢慢缩短了，到 1 岁时才能接近成人的生活规律。

尽量不要抱着睡

新生宝宝初到人间，需要父母的爱抚，但新生宝宝也需要培养良好的睡眠习惯。抱着宝宝睡觉，既会影响宝宝的睡眠质量，还会影响宝宝的新陈代谢。另外，产后妈妈的身体也需要恢复，抱着宝宝睡觉，妈妈也得不到充分的睡眠和休息。所以，宝宝睡觉时，要让他独立舒适地躺在自己的床上，自然入睡，尽量避免抱着睡。

金牌月嫂的育儿经

宝宝偶尔打鼾可能是由感冒引起的，感冒痊愈后，打鼾的症状就会消失。但如果宝宝经常打鼾，可能是由于腺样体肥大、扁桃体肥大或其他原因，影响了鼻咽部通气造成的，最好带他到医院检查一下。

宝宝晚上睡觉时最好仰躺睡，以免发生危险，白天可变换不同的姿势。

宝宝不舒服时的表现

新手父母要学会读懂新生儿不舒服的表现，当出现以下这些状况时，就要立即去医院就诊进行治疗：

昏昏欲睡显得特别累，不易叫醒，吵醒后又立即入睡；活动力变差，哭声很弱，突然不太哭闹、不爱活动；食欲变差，吃奶量明显减少，若强迫吃奶后又立即吐奶；吃奶时变得很累、易喘，口鼻周围发紫，异常的盗汗等；体温 38 ℃ 以上；喷射性吐奶；严重的水泻；耳朵有分泌物流出；有异于平常的呼吸声或有浓稠性的鼻涕。

宝宝溢奶怎么办

宝宝溢奶时，新妈妈首先要弄清楚宝宝是吐奶、还是溢奶。吐奶的量比较多，吐奶前宝宝有张口伸脖、痛苦难受的表情。溢奶则量少，一般吐出一两口即止。溢奶是小宝宝常见的一种现象。宝宝胃呈水平位，且容量小，肌肉力量弱，功能尚不健全，容易发生溢奶现象。妈妈只要学会判断溢奶的原因，采取相应措施即可。

采用合适的喂奶姿势：尽量抱起宝宝，让宝宝的身体处于45°左右的倾斜状态。

喂奶完毕让宝宝打个嗝：竖直抱起靠在肩上，轻拍宝宝后背。

吃奶后不宜马上让宝宝仰卧，而是应当侧卧一会儿，然后再改为仰卧位。

喂奶量不宜过多，间隔时间不宜过短。

如果宝宝呕吐频繁，且吐出呈黄绿色、咖啡色液体，或伴有发烧、腹泻等症状，要及时就医。

给宝宝剪指甲要小心

宝宝的指甲长得很快，经常会把自己的小脸抓伤，这令新妈妈非常心疼。其实，妈妈用宝宝专用的指甲剪，完全可以自己给宝宝剪。

❶ 让宝宝平躺床上，妈妈握住宝宝的小手，要求是最好能同方向、同角度。

❷ 分开宝宝的五指，重点捏住一个指头剪。

❸ 先剪中间再剪两头，避免把边角剪得过深。

❹ 妈妈用自己的手指沿宝宝的小指甲边摸一圈，发现尖角及时剪除。剪好一个再剪下一个。

怎样给宝宝洗澡

对新手父母来说，给新生儿洗澡是个大问题，这完全是个技术活。所以，在宝宝出生后住院期间，一定要跟着护士把这门技术学到家。如果还是有问题，下面再由金牌月嫂带你温习一遍。

准备工作

❶ 确认宝宝不会饿或暂时不会大小便，且吃过奶 1 小时以后再开始洗澡。

❷ 如果是冬天，开足暖气，如果是夏天，关上空调或电扇，室温在 26~28℃ 为宜。

❸ 准备好洗澡盆、洗脸毛巾两三条、浴巾、婴儿洗发液和要更换的衣服等。

❹ 清洗洗澡盆，先倒凉水，再倒热水，用你的肘弯内侧试温度，感觉不冷不热最好。如果用水温计，为 37~38℃ 最好。

如何清除宝宝的头皮痂

一般情况下，宝宝的头皮痂不用清洗，慢慢地会自己脱落。如果看着不舒服，可以涂些植物油，等它软了以后，用梳子轻轻梳去。有的可能太厚，一次清洗不完，可以坚持每天涂一两次，软了以后再轻轻地梳，最后用温水擦干净。

洗澡小贴士

❶ 要用清水冲洗，不要用肥皂或沐浴液。

❷ 一定要事先调好水温、水深，洗澡中途也绝对不可以让宝宝独自在浴盆中。

❸ 洗澡时间以 10 分钟为宜，如果宝宝喜欢，可适当延长宝宝洗浴的时间。最好每天一次，冬天可以根据情况适当延长周期。

❹ 开始给婴儿洗澡时，因为不熟练会有些手忙脚乱，应该让丈夫或家人帮助你，慢慢地你就会很熟练了。

> ### 金牌月嫂的育儿经
>
> 给宝宝洗澡时，不要将沐浴露涂抹在宝宝脸上，以防止进入到宝宝眼睛里。另外，给宝宝洗澡做完抚触后，可以给宝宝喂点奶，补充热量和水分。

开始洗澡

❶ 给宝宝脱去衣服，用浴巾把宝宝包裹起来。

❷ 宝宝仰卧，月嫂用右肘部托住宝宝的小屁股，右手托住宝宝的头，拇指和中指分别按住宝宝的两只耳朵贴到脸上，以防进水。

❸ 先清洗脸部。用小毛巾蘸水，轻拭宝宝的脸颊，眼部由内而外，再由眉心向两侧轻擦前额。

❹ 接下来清洗头。先用水将宝宝的头发弄湿，然后倒少量的婴儿洗发液在手心，搓出泡沫后，轻柔地在头上揉洗。

❺ 洗净头后，再分别洗颈下、腋下、前胸、后背、双臂和手。由于这些部位十分娇嫩，清洗时注意动作要轻。

❻ 将宝宝倒过来，头顶贴在妈妈左胸前，用左手托住宝宝的上半身，右手用浸水的毛巾先洗会阴腹股沟及臀部，最后洗腿和脚。

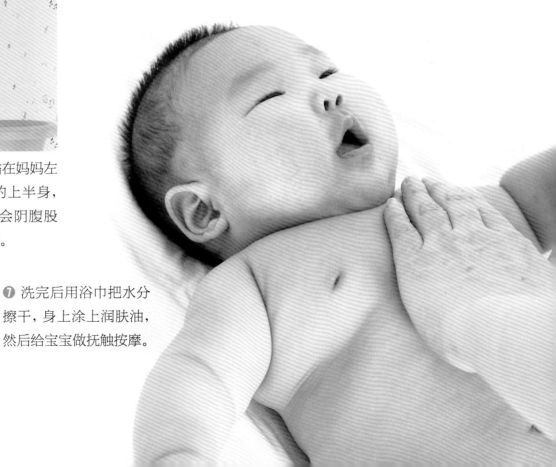

❼ 洗完后用浴巾把水分擦干，身上涂上润肤油，然后给宝宝做抚触按摩。

特殊宝宝的护理

新生儿如此娇嫩可爱，就像刚出土的幼苗，需要父母的精心呵护，而那些双胞胎、早产儿和巨大儿就需要爸爸妈妈付出更多的爱和关心，沐浴着爸爸妈妈的爱，宝宝一样会茁壮、健康地成长。

双胞胎或多胞胎

一举多得的新妈妈很幸福，也很操心，辛苦并快乐着，这是双胞胎和多胞胎新妈妈的真实写照。由于在妊娠期，妈妈的营养要同时供应两个胎儿生长，因此双胞胎宝宝大多数没有单胎宝宝长得好，其对环境的适应能力和抗病能力均较一般单胎新生儿差。有时可能出现护理不周的情况，会使双胞胎宝宝易患病，因此对双胞胎的喂养和护理要加强。

双胞胎的胃容量小，消化能力差，宜采用少量多餐的喂养方法。双胞胎出生后 12 个小时之内，就应喂哺 50% 糖水 25~50 克。这是因为双胞胎宝宝体内不像单胎足月儿有那么多的糖原贮备，饥饿时间过长会发生低血糖，影响大脑的发育。

第 2 个 12 小时内可喂 1~3 次母乳，母乳喂养的双胞胎宝宝需要按需哺乳。体重不足 1500 克的双胞胎宝宝，每 2 小时喂奶 1 次，每 24 小时喂 12 次；体重 1500~2000 克的新生儿，夜间可减少 2 次，每 24 小时喂 10 次；体重 2000 克以上的新生儿，每 24 小时喂 8 次，3 小时 1 次。这种喂哺法，是因为双胞胎宝宝个子小，热量散失多，热量需求量比相同体重的单胎足月宝宝高。

在双胞胎宝宝出生的第 2 周起应补充菜汁、鲜橘汁、钙片、鱼肝油等，从第 5 周起应增添含铁丰富的食物。但一次喂入量不宜多，以免引起消化不良。另外，双胞胎宝宝在喂养上应及时补充铁剂。

另外，婴儿用品店里有许多供双胞胎、多胞胎使用的婴儿车、婴儿床、摇篮等，一是方便，二是可以让双胞胎和多胞胎宝宝从小培养起亲密无间的亲情，新妈妈不妨给宝宝准备一下。

金牌月嫂的育儿经

如果双胞胎或多胞胎其中的一个宝宝不幸生病了，就得注意，不要让健康的宝宝也被感染，这时候，需要当机立断的"隔离治疗"。

沐浴着妈妈暖暖的爱，早产宝宝一样会茁壮、健康地成长！

早产儿

新妈妈要付出更多的精力和耐心来照顾早产儿，给早到的天使更多的关爱。一般来说，怀孕未满37周出生的宝宝称为早产儿。与足月儿相比，早产儿发育尚未成熟，体重多在2500克以下，即使体重超过2500克，器官、组织的发育也不如足月儿成熟。为了更好地照顾早产儿，父母要采取以下措施：

注意给新生儿保温。注意室内温度，因为早产儿体内调节温度的机制尚未完善，没有较多的皮下脂肪为他保温，失热很快，因此保温十分重要。室温要控制在25~27℃，每4~6小时测体温一次，保持体温恒定在36~37℃。

宜母乳喂养。最好喂食母乳，初乳中含各种人体必需的元素，蛋白质、脂肪酸、抗体的含量都高，正好适合快速生长的早产儿。如母乳不足，则采用早产儿奶粉。

谨防感染。早产儿室避免闲杂人员入内。接触早产儿的任何人（包括妈妈和医护人员）须洗净手。接触宝宝时，大人的手应是暖和的，不要随意亲吻、触摸。妈妈或陪护人员若感冒要戴口罩，腹泻则务必勤洗手，或调换人员进行护理。

巨大儿

产下巨大儿，新妈妈不要太过担心，做好宝宝的护理工作一样可以使宝宝健康可爱。

胎儿体重超过4500克，临床称为巨大儿。巨大儿除了给妈妈分娩带来麻烦外，其生下后往往体质"外强中干"，身体抗病能力弱，尤其生下巨大儿的新妈妈常提示患有糖尿病。这样的巨大儿最好采用人工喂养，以防妈妈服降糖药通过乳汁影响婴儿。如果妈妈身体健康，那么就要保持心情愉快，保持乳汁的质和量，以供给巨大儿宝宝享用，其他护理方面可以和普通宝宝一样。

常见异常的症状与应对

离开温暖的子宫后，新生儿是那么娇嫩，一旦出现某些不适症状，就会让父母昼夜担惊受怕。面对不舒服的宝宝，父母一定要放平心态，用心学会正确的护理。

新生儿常见疾病

新生儿一般不易患病，因为妈妈的乳汁中含有天然的免疫因子，新生儿患病大多是由护理不当造成的，新手爸爸妈妈要尤为注意。

什么是新生儿生理性黄疸

新生儿生理性黄疸是一种由新生儿胆红素代谢决定的，必然要发生的生理现象，而不是由任何其他疾病引起的黄疸。一般在出生后 3 天左右出现，少数在出生后第 2 天起就看到皮肤轻微发黄，或延迟到出生后 5 天出现。以后逐渐加重，通常于出现后两三天内最为明显。

新生儿生理性黄疸需要治疗吗

足月的新生儿一般在出生后 7~10 天黄疸消退，最迟不超过出生后 2 周，早产儿可延迟至出生后三四周退净。如果黄疸的消退超过正常时间，或者退后又重新出现均属不正常，需要治疗。一般的生理性黄疸都能顺利消失，不需治疗。

新生儿湿疹怎么办

有些新妈妈会发现宝宝的脸、眉毛之间和耳后与颈下对称地分布着小斑点状红疹，有的还流有黏黏的黄水，干燥时则结成黄色痂，这就是新生儿湿疹，又名奶癣，是一种常见的新生儿和婴儿过敏性皮肤病，常使宝宝哭闹不安，影响健康。

预防措施

如果对婴儿配方奶粉过敏，可改用其他代乳食品。

避免过量喂食，防止消化不良。

哺乳妈妈要少吃或暂不吃鲫鱼汤、鲜虾、螃蟹等诱发性食物，也不要吃刺激性食物，如蒜、葱、辣椒等，以免加剧宝宝的湿疹。

湿疹严重时，就不要给宝宝打防疫针了。

宝宝怎么老打喷嚏

宝宝偶尔打喷嚏是本能的一种对外界温度变化的反应，新妈妈不用过分紧张。新生儿鼻腔血液的运行较旺盛，鼻腔小且短，若有棉絮、绒毛或尘埃等刺激鼻黏膜便会引起打喷嚏，这也可以说是宝宝代替用手自行清理鼻腔的一种方式。遇到这种情况，妈妈可以用手指肚给宝宝轻轻揉鼻翼。只要宝宝没有其他异常反应就不必太担心。

需要注意的是，平时还要观察室内湿度，如果室内空气太干燥也可能导致宝宝打喷嚏。如果屋内的空气过干，建议多给宝宝喝水，最好使用加湿器或是在屋内放置几盆清水，增加屋内的湿度。如果宝宝经常打喷嚏的症状不见改善，父母就要多注意，很可能是宝宝对某种东西过敏引起的，比如花粉、灰尘、化纤类物质等。

宝宝感冒了怎么办

新生儿感冒大都是爸爸妈妈以及与宝宝接触的人传染给宝宝的。新生儿由于免疫系统尚未发育成熟，所以更容易患感冒，特别是在冬春季节出生的宝宝。

一般新生儿感冒将持续 7~10 天，有时可持续 2 周左右。咳嗽是最晚消失的症状，它往往会持续几周。

3 个月内的宝宝，一出现感冒的症状，就要立即带他去看医生。尤其是当你的宝宝发烧超过 37.5℃（腋下温度）或有咳嗽症状时更不能掉以轻心。

感冒的防治

❶ 带着宝宝去医院，进行一些检查，了解感冒的原因。

❷ 如果是合并细菌感染，医院会给宝宝开一些抗生素，一定要按时按剂量吃药。

❸ 如果是病毒性感冒，并没有特效药，主要就是照顾好宝宝，减轻症状，一般赶上 7~10 天就好了。

❹ 如果鼻子堵塞已经造成了宝宝吃奶困难，就需要请医生开一点盐水滴鼻液。在吃奶前 15 分钟滴鼻，过一会儿，即可用吸鼻器将鼻腔中的盐水和黏液吸出。

金牌月嫂的育儿经

如果哺乳期的新妈妈患了感冒，一方面要在医生的指导下积极治疗，喝一些不影响哺乳的中成药或者采取食疗方法，另一方面最好不要中断给宝宝喂奶，可以在喂奶的时候戴上口罩。

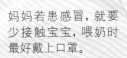

妈妈若患感冒，就要少接触宝宝，喂奶时最好戴上口罩。

新生儿咳嗽怎么办

很多新妈妈看到宝宝咳嗽，往往手足无措。其实，宝宝咳嗽的原因有很多，如冷空气刺激、呼吸道感染和过敏等。因此最好针对宝宝咳嗽的原因来护理，必要时要带宝宝去医院就诊。父母在给宝宝使用止咳药和抗生素之前，必须咨询医生，并严格按照医生建议的方法和剂量来给宝宝服用。

在宝宝咳嗽剧烈时，可以让宝宝吸入水蒸气，潮湿的空气有助于缓解宝宝呼吸道黏膜的干燥、湿化痰液、平息咳嗽。不过，父母可千万要小心，注意水温别太高，防止烫伤宝宝。

新生儿发烧后一定要降温

不要宝宝一发烧就给宝宝吃药，而要更多地选择自然育儿方法，宝宝体温在38.5℃以下时可以选择物理降温，38.5℃以上时就要及时服药。

发烧在38.5℃以下的建议采取物理降温，如用温水给宝宝的四肢、腹股沟和腋窝擦一擦，直到宝宝皮肤发红为止，这个方法可以加快宝宝的血液循环，从而达到降温的作用。

当宝宝的体温达到38.5℃以上，我们建议在医生指导下给宝宝服用一些退烧药物。因为这个体温超过宝宝的承受能力，对于脑部内环境来说，会影响脑细胞的生存环境，此时父母要及时给宝宝服用一些宝宝退烧药物。

怎样帮助宝宝排痰

新生儿不会吐痰，即使痰液已咳出，也只会再吞下。妈妈可以给宝宝拍背帮助他排痰。注意拍背时，手劲要适度，能感觉到宝宝背部有震动就可以了。具体方法如下：

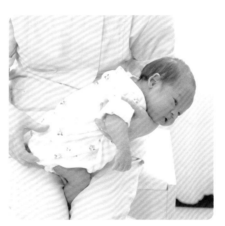

❶ 让宝宝横向俯卧在你的大腿上。

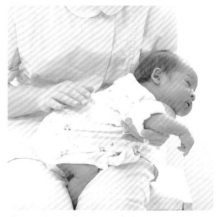

❷ 用空心掌和手腕的力，由下向上、从外到内给宝宝拍背。

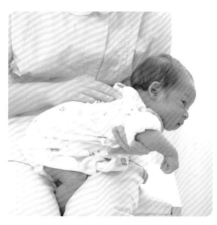

❸ 拍背时要注意力度和频率。

❹ 拍5分钟后，给宝宝喂点水。

如何预防脱水热

宝宝突然高烧，妈妈要警惕宝宝患上脱水热。脱水热是夏天出生的新生儿比较容易出现的疾病，这是因为小宝宝体温调节中枢发育还不完善，不能很好地通过皮肤来散热，如果环境温度高，水分补充没跟上，而宝宝又恰好被包裹得比较紧，就会出现脱水热。脱水热一般发生在出生后的 2~4 天，热度一般在 38~40℃。

脱水热的宝宝表现为烦躁不安、啼哭不止，但无其他感染中毒症状。脱水症状不一定明显，但可因脱水而体重下降、尿量减少。发热的高低和体重的减轻也不一定成比例。

为预防脱水热的发生，在宝宝出生的几天内，如母乳不足应补充液体，同时避免过度保暖及注意环境温度。对于新生儿脱水热的治疗主要是补充液体，喂温开水或 5% 的葡萄糖液，每 2 小时 1 次，每次 10~30 毫升。当口服液体困难时，可静脉补液，以 5% 葡萄糖液加入总量 1/5 的生理盐水。

严防新生儿肺炎

如果宝宝刚出生时就有肺炎，多数是因为在生产过程中或者产前引起的。怀孕期间，胎儿生活在充满羊水的子宫里，一旦发生缺氧（如脐带绕颈），就会发生呼吸运动而吸入羊水，引起吸入性肺炎；如果早破水、产程延长或在分娩过程中，吸入细菌污染的羊水或产道分泌物，易引起细菌性肺炎；如果羊水被胎便污染，吸入肺内会引起胎便吸入性肺炎。还有一种情况是出生后感染性肺炎，新生儿接触的人中有带菌者（比如感冒），很容易受到传染引起肺炎。

新生儿肺炎是新生儿时期最常见的一种严重呼吸道疾病，因此要做好预防新生儿肺炎的工作，尽可能在新生儿第一次呼吸前，吸净口鼻腔分泌物。宝宝出院回家后，应尽量谢绝客人，尤其是患有呼吸道感染者，要避免进入宝宝房内。新妈妈如果患有呼吸道感染，必须戴口罩接近宝宝。每天将宝宝的房间通风一两次，以保持室内空气新鲜。

金牌月嫂的育儿经

新生儿出生时如患过肺炎，新妈妈和新爸爸一定要格外精心护理宝宝，避免患上感冒、发烧、咳嗽等症，同时加强母乳喂养，增强宝宝的抵抗力。

患过新生儿肺炎的宝宝平时要多锻炼，以增强自身的抵抗力。

妈妈要经常清洗宝宝的小手，避免病从口入。

怎样判断宝宝腹泻

不少新妈妈心存这样的疑虑：宝宝这么小，怎么会腹泻呢？这是由于宝宝消化功能尚未发育完善，宝宝在胎内是母体供给营养，出生后需独立摄取、消化、吸收营养，消化道的负担明显加重，在一些外因的影响下很容易引起腹泻。

找出宝宝腹泻原因

新生儿大便次数较多，特别是吃母乳的宝宝大便更多更稀一些，不一定不正常，有很多因素会造成宝宝腹泻，应该先找找原因，然后对症采取措施治疗腹泻。有些宝宝的腹泻是生理性的，可不必治疗，会随年龄的增长逐渐好转。

如果腹泻次数较多，大便性质改变，或宝宝两眼凹陷有脱水现象时，应立即送医院诊治。根据医生安排，合理掌握母乳的哺喂。

宝宝拉肚子可能是病毒感染（比如胃肠炎）或细菌感染引起的，也有可能是在治疗期间使用抗生素导致腹泻，还有可能是牛奶过敏等原因造成的，对于这些原因造成的腹泻，必须立即去医院诊治。

判断宝宝是否腹泻的方法

❶ 根据排便次数。正常的宝宝大便一般每天一两次，呈黄色糊状物。腹泻时会比正常情况下排便增多，轻者 4~6 次，重者可达 10 次以上，甚至数十次。

❷ 根据大便性状。如果为稀水便、蛋花汤样便，黏液便或脓血便，宝宝同时伴有吐奶、腹胀、发热、烦躁不安、精神不佳等表现，就是腹泻的症状。

宝宝腹泻时如何处理

腹泻的宝宝需要妈妈的细心呵护，宝宝腹泻时的护理要点如下：

隔离与消毒：接触生病宝宝后，应及时洗手；宝宝用过的碗、奶瓶、水杯等要消毒；衣服、尿布等也要用开水烫洗。

注意观察病情：记录宝宝大便、小便和呕吐的次数、量和性状，就诊时带上大便采样，以便医生检验、诊治。

外阴护理：勤换尿布，每次大便后用温水擦洗臀部，女宝宝应自前向后冲洗，然后用软布吸干，以防泌尿系统感染。

金牌月嫂的育儿经

母乳喂养的新生儿腹泻大多是因为妈妈吃了寒凉的食物，新妈妈要检查食物的变化，同时，有些新生儿对鱼肝油过敏，添加鱼肝油也会导致腹泻。

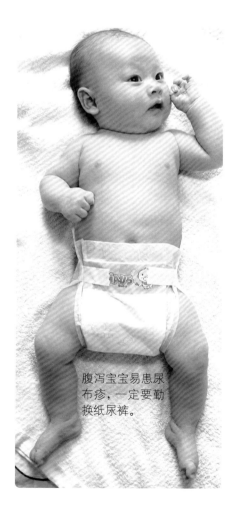

腹泻宝宝易患尿布疹，一定要勤换纸尿裤。

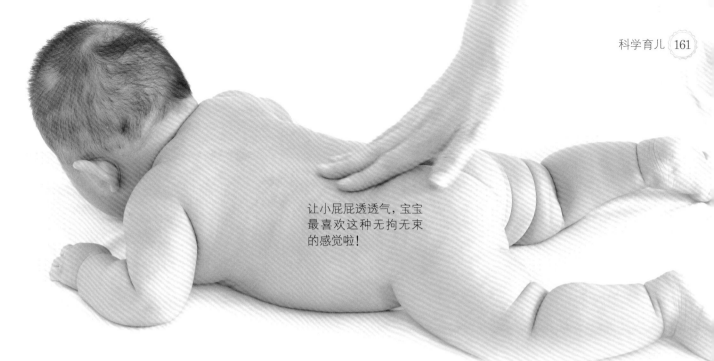

让小屁屁透透气，宝宝最喜欢这种无拘无束的感觉啦！

新生儿"红屁股"怎么办

新生儿屁股皮肤娇嫩，皱褶多，往往易出现"红屁股"，医学上称为尿布疹。多发生在与尿布接触的部位，如小屁股和会阴，主要表现是大片红斑、水肿、表面光滑、发亮，边界清楚。严重的会发生脓包、溃疡、发热等。其预防措施是：

❶ 勤换尿布或纸尿裤。适当减少用尿布和纸尿裤的时间，让宝宝的小屁屁多透气通风。

❷ 每次大小便后及时清洁皮肤，并用清水冲洗干净。

❸ 可以经常给宝宝涂些护臀霜，也可用香油代替护臀霜。

❹ 培养宝宝定时小便的习惯。新生儿的皮肤发育得不完善，抵抗力也差，很容易受尿液刺激，引起"红屁股"。另外，宝宝新陈代谢快，排汗多，如果热气不能有效排出，也容易产生"红屁股"。

肛周脓肿

如果宝宝排便和更换尿布时哭闹，妈妈一定要引起注意，留心宝宝是不是患上了肛周脓肿。新生儿由于大便次数多，每日可达4~10次以上，肛周黏膜经常处于被排泄物刺激的状态，导致局部红肿，引起新生儿烦躁、哭闹、影响舒适感及睡眠。如果不及时处理将导致皮肤黏膜破溃感染，一旦发生臀部感染，就有可能发生肛门周围脓肿。

肛周脓肿如果不及时处理，会引起肛瘘，给宝宝造成极大的痛苦，如果细菌侵入血液中，还会引起败血症。所以，当有臀红时，妈妈要随时观察宝宝臀部是否有感染，要及时就医治疗。

内八脚和罗圈腿需要纠正吗

宝宝的内八脚和罗圈腿会自然变直吗？答案是肯定的。由于宝宝出生前在妈妈子宫中空间有限，不能完全伸展开，因此腿、脚向内弯曲。出生后，随着宝宝臀部和腿部的肌肉力量加强，宝宝的身体和脚就会慢慢变直，父母不用担心。

新生儿便秘怎么办

新生儿发生便秘的情况不是非常多，但新生儿早期可能有胎便性便秘。这是因为胎便稠厚、积聚在结肠和直肠内，使得排出量很少，产后 72 小时还尚未排完，表现为腹胀、呕吐、拒奶。对于这种类型的便秘，父母可在医生指导下使用开塞露刺激。胎便排出后，症状消失不再复发。如果随后又出现腹胀这种顽固性便秘，要考虑是否患有先天性巨结肠症。

新生儿便秘容易发生在人工喂养的宝宝身上。如果排便并不困难，并且大便也不硬，宝宝精神好，体重也增加，这种情况就不是病。如果排便次数明显减少，每次排便时还非常用力，并在排便后可能出现肛门破裂、便血，则应积极处理，及时到医院诊治。千万不可自行用泻药，因为泻药有可能导致肠道的异常蠕动而引起肠套叠，如不及时诊治，可能造成肠坏死，严重时会危及宝宝的生命。

预防佝偻病从现在开始

虽然现在生活水平提高了，但佝偻病的现象仍有发生。父母要从新生儿期开始预防佝偻病。容易患佝偻病的宝宝主要是早产儿和出生体重较低（低于 3000 克）的宝宝、孕期缺钙的妈妈所生的宝宝、哺乳期缺钙的妈妈所哺育的宝宝、生长发育太快的宝宝、吃奶少的宝宝。

佝偻病的早期表现主要是好哭、睡眠不安、多汗、夜惊，尤其是多汗刺激，让宝宝经常摇头擦枕，导致枕秃。

预防新生儿佝偻病的方法

❶ 多晒太阳和户外活动。

❷ 从出生第 15 天开始，每天补充适量的维生素 A、维生素 D，具体补充量听从医生建议。

❸ 提倡母乳喂养，哺乳期间妈妈要补充适量的钙剂、鱼肝油，并多晒太阳。

金牌月嫂的育儿经

有些宝宝刚入睡时出汗较多，是由植物神经还不够稳定造成的；有些宝宝出现枕秃是因为生理性多汗、头部与枕头经常摩擦形成的，这两种现象不属于佝偻病，妈妈要学会区分。

温暖双手，再顺时针轻轻按揉宝宝腹部，可促进宝宝排便。

宝宝起痱子了

不少新妈妈总担心宝宝受凉，即便是在夏季，也给宝宝穿得很厚，很容易捂出痱子。另外室内通风差，宝宝皮肤不清洁等使汗腺孔被堵塞，汗液排泄不畅也会导致痱子出现。

夏季父母要注意预防宝宝生痱子，具体措施如下：

❶ 注意皮肤清洁卫生，要及时换下宝宝身上沾有汗渍的衣服，一天洗一两次澡，这样宝宝就不会长痱子了。

❷ 夏季的衣服材质是很重要的，夏季炎热，应穿吸水性好的薄棉布，而且衣服要宽松，热量被散发出来，汗水被棉布衣服吸去自然不易长痱子。

❸ 遇到气温过高的日子，可适当使用空调降低室内温度，同时注意通风。

❹ 在炎热的夏天，不要一直抱着小宝宝，尽量让宝宝躺在床上，以免长时间在大人怀中，散热不畅，捂出痱子。

最后介绍一种中医防治办法，金银花6克，用开水浸泡约1小时即可，以棉签或纱布蘸金银花浸泡液轻抹患处，每天3次。

预防新生儿脐炎

宝宝脐带如果护理不当，极易引发新生儿脐炎，需要家人特别注意。宝宝出生后，脐带结扎会使新生儿腹腔与外界直接相通的通道被堵塞。所剩下的2厘米左右的脐带残端，一般在出生后7~14天脱落，脱落的时间早晚因不同的结扎方法稍有差别。但在脐带脱落前，脐部易成为细菌繁殖的温床，导致发生新生儿脐炎，此时细菌可能侵入腹壁，进而进入血液，成为引起新生儿败血症的常见原因之一。

预防新生儿脐炎最重要的是做好断脐后的护理，保持新生儿腹部的清洁卫生，具体护理方式如下。

❶ 每天准备75%的酒精棉签。

❷ 消毒时一定要把消毒棉签伸到肚脐窝里面去。

❸ 由里往外消毒，依顺时针一圈一圈往外消毒。

最后，父母如发现脐带根部发红，或脐带脱落后伤口不愈合，有脐窝湿润表现，应立即进行局部处理，用3%的双氧水冲洗局部两三次后，用碘酊消毒，再用酒精脱碘。如果脐部炎症明显，有脓性分泌物，则应立即送宝宝到医院治疗。

冬季室温很高，宝宝穿得过厚，也会引起痱子，妈妈要适当给宝宝减少衣物。

新生儿用药

宝宝生病是最让新妈妈和新爸爸揪心的，看着宝宝痛苦的样子，真想自己代替宝宝受罪，但这并不能解决问题，正确掌握给宝宝用药方法，才能最快、最有效地减轻宝宝的症状。

家庭常备药箱

家有小药箱，生病不用慌。对有宝宝的家庭而言，宝宝的健康是第一要事。如果为宝宝准备一个小药箱，并配备下列药物和医疗器械，就可以应急，以防万一。

内服药。包括退热药，如宝宝退热片、百服宁糖浆等；感冒药，如宝宝感冒冲剂、宝宝清咽冲剂等；助消化药，如宝宝化食丸等。

外用药。包括75％的酒精、创可贴。

医疗器械。包括温度计(腋下用)、小剪刀、镊子、消毒棉棒、纱布、脱脂棉、绷带等。

婴儿用直肠温度计(有直接数字显示的要比传统的水银温度计方便得多)、不含阿司匹林的儿童用液体镇痛药(比如布洛芬)、消炎软膏(用来缓解昆虫叮咬和皮疹)、外用酒精(用来清洁温度计、镊子

和剪刀)、凡士林油或甘油(抹在直肠温度计上，做润滑用)、有抗菌作用的药膏(对付擦伤或者摔破的地方)、锋利的剪刀、镊子(用来清理伤口中的碎片和脏东西)、不同尺寸和形状的绷带(事先分类放好)、薄纱布(1.5~5厘米宽)、纱布垫(5×5厘米和10×10厘米)。

医用胶布、杀菌棉花球、棉签、喂药器、小量杯或者量勺、热水袋和冰袋、小手电筒(用来检查宝宝耳、鼻、喉和眼睛)、急救手册(应付各种突发的危险情况)、催吐药(应付中毒的情况，但最好在医生指导下使用)、治疗腹泻的药(应付婴幼儿腹泻，按医生的医嘱准备)。

宝宝的小药箱要定期检查，及时更换过期药物。

金牌月嫂的育儿经

宝宝的小药箱要注意定期检查和整理，看看哪些药过期了或者快过期了，扔掉后还要及时补上新的药品以备不时之需。

怎样给新生儿用药

"良药苦口"，年轻的爸爸妈妈们在给宝宝喂药时，常常手忙脚乱，束手无策。到底该怎样给宝宝喂药呢？

❶ 按医嘱，将药片或药水放置勺内，用温开水调匀，也可放糖少许。

❷ 喂药时将小宝宝抱于怀中，托起头部成半卧位。

❸ 用左手拇、食指轻捏小宝宝双侧颊部，迫使小宝宝张嘴。

❹ 然后用小勺将药物慢慢倒入小宝宝嘴里。

新生儿用药注意事项

宝宝不是迷你版大人

宝宝生理心智都还在发展的阶段，对药物的吸收、代谢与成人大不相同，因此儿童用药不论在药物、剂型的选择、剂量的决定上都需要专业医生做特别考量，避免拿大人药品直接来磨粉，毕竟宝宝不是缩小版的大人。

可以把药放进牛奶喂食吗

一般不建议将药物放入牛奶中一起服用。因牛奶会减低某些药物的治疗效果，而且，生病中的宝宝食欲不佳，万一牛奶没有喝完，父母无法确定宝宝喝下的药物剂量是否足够。因此，以白开水配服药品是最好、最安全的选择。

哪些药物容易有副作用

任何一种药物都有副作用，如果宝宝吃药有任何异常的反应，请立刻咨询医生。一旦确定是药物引起的副作用，爸爸妈妈必须记录下药物名称、使用的剂量及副作用产生的反应，并在每次就医时主动告诉医生，以免宝宝再次受到伤害。

民俗用药要谨慎

都说家有一老，如有一宝。但是一些老人在给新生儿用药时盲目信奉民间习俗，新妈妈就要有选择地听取了，必要时要立即制止，以免给宝宝健康带来隐患。比如有一种民间习俗是让新妈妈将珍珠散洒在自己的乳头上，认为让宝宝吸吮后会使其体质健壮。但是珍珠散含有朱砂等成分，对人体脏器功能极为有害，因此千万不能滥用。

金牌月嫂的育儿经

不管是用小勺还是滴管喂药，都得让宝宝吃药时选择半坐位姿态，轻轻把住四肢，固定住头部，以防喂药时呛着宝宝或者误吸入气管。

用拇、食指轻捏宝宝双侧颊部，然后用小勺将药物慢慢倒入宝宝嘴里。

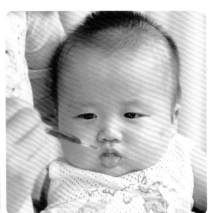

也可将滴管伸进嘴里，滴管嘴放在一侧颊黏膜和牙龈之间将药少量挤进。

新生儿的免疫接种

新生宝宝从母体来到这个大千世界，此时免疫功能尚且不足，对一些疾病缺乏抵抗能力。为了让宝宝健康成长，对此父母需要制定一系列的免疫接种措施。

接种疫苗前的注意事项

不管是新生儿，还是已出满月的宝宝，在接种疫苗之前，父母都应特别注意宝宝有无急性疾病、过敏体质、免疫功能不全、神经系统疾患等情形，并在接种人员的指导下进行接种。

在新生儿接种疫苗前，父母需配合接种人员，提供新生儿的健康状况，包括出生时是否足月、出生时体重多少、新生儿出生评分情况、有无先天性出生缺陷、是否现患某种疾病等，及时做好对新生儿健康状况的问诊和一般健康检查，以便接种人员正确掌握疫苗接种的禁忌征，并决定是否接种疫苗。

如发现接种后出现异常情况，应立即咨询接种工作人员，必要时就医，以便得到及时正确的处理。

常见的接种项目

接种卡介苗

卡介苗的接种，可以增强人体对结核病的抵抗力，预防肺结核和结核性脑膜炎的发生。当患有开放性肺结核的病人咳嗽和打喷嚏时，容易将结核杆菌散布到空气中，如果被没有抵抗力的人吸入体内，就会造成感染，并可能发展为肺结核。目前我国采用活性减毒疫苗为新生儿接种。接种后的宝宝对初期症状的预防效果达 $80\% \sim 85\%$，可以维持 10 年左右的免疫力。

接种时间：出生满 24 小时以后，第一针。

接种部位：左上臂三角肌中央。

接种方式：皮内注射。

禁忌：当新生儿患有高烧、严重急性症状及免疫不全、出生时伴有严重先天性疾病、低体重、严重湿疹、可疑的结核病时，不应接种疫苗。

注意事项：

❶ 接种后 10~14 天在接种部位有红色小结节，小结节会逐渐变大，伴有痛痒感，4~6 周变成脓包或溃烂，此时父母不要挤压和包扎。

❷ 溃疡经两三个月会自动愈合，有时同侧腋窝淋巴结会肿大。

❸ 如果接种部位发生严重感染，应及时请医生检查和处理。

接种乙型肝炎疫苗

乙型肝炎在我国的发病率很高，慢性活动性乙型肝炎还是造成肝癌、肝硬化的主要原因。如果怀孕时母亲患有高传染性乙型肝炎病，那么宝宝出生后的患病可能性达到 90%，所以让下一代接种乙肝疫苗是非常必要的。目前我国采用安全的第二代基因工程疫苗，出生 24 小时后，为每一个新生儿常规接种。

接种时间：出生满 24 小时以后注射第一针，满月后第二针，满 6 个月时第三针。

接种部位：左上臂三角肌中央。

接种方式：肌内注射。

禁忌：如果新生儿是先天畸

形及严重内脏机能障碍者，出现窒息、呼吸困难、严重黄疸、昏迷等严重病情时，不可接种。早产儿在出生一个月后方可注射。

注意事项：

❶ 接种后局部可发生肿块、疼痛。

❷ 少数伴有轻度发烧、不安、食欲减退，这些症状大都在两三天内自动消失。

特殊的接种项目

新生儿除了卡介苗和乙肝疫苗，一般不需其他特殊的接种疫苗，但如果因为母亲染上疾病，可能对新生儿造成危害的话则需要特殊接种。

如果母亲是乙肝病毒携带者，在怀孕后三月最好注射乙肝高效价免疫球蛋白，新生儿出生24小时内注射第一次乙肝高效价免疫球蛋白和乙肝疫苗，以后第2、3个月也要注射乙肝高效价免疫球蛋白，第5、6月要注射乙肝疫苗，这样能够最大限度地防止宝宝受传染。

由于早产儿对乙肝病毒的免疫应答低于足月儿，所以胎龄小于32周的早产儿需在7月龄进行血清学检测，如果乙肝表面抗体浓度较低则需加强接种。

如果妈妈感染人类免疫缺陷病毒（HIV），宝宝感染HIV后不会立即出现症状，但由于免疫力比较弱，由HIV发展成艾滋病的时间很短。因此，出生以后随时可能出现症状，出生后需要接受6周的抗艾滋病药物治疗，并不能进行母乳喂养。

接种过疫苗的宝宝如果出现嗜睡、情绪低落的现象，要及时请医生诊断。

新生儿的启蒙训练

家庭是宝宝成长的沃土，父母是宝宝最好的启蒙老师和游戏伙伴。出生后的一个月是宝宝成长最迅速的时期，在这一个月里父母可根据宝宝身体的实际状况，进行各种潜能开发，如视力、听力、运动、与外界交流等训练，让宝宝天天向上、卓越不凡。

看的能力

不要以为小宝宝只会吃奶、睡觉，其实宝宝的本领很大，他一生下来就具备看的能力，尤其喜欢看对比强烈的图案和鲜艳的色彩，爸爸妈妈一定要满足宝宝的需求。

歌声中的红皮球

宝宝出生不久，眼睛已能注视物体，耳朵已能听到声音。在宝宝的小床上悬挂玩具，并用歌声作为引导，在宝宝的小床上方（离宝宝的眼睛约 20 厘米左右）悬挂一个红皮球。

利用宝宝短暂的醒来时间，一边轻柔地哼唱熟悉的歌谣，如《小燕子》《世上只有妈妈好》等，一边摆动悬挂的皮球，逗引宝宝用眼观看，用耳听声。

看妈妈的脸

照料宝宝时，妈妈要故意把脸在宝宝左右活动，让他的视线适应妈妈移动。妈妈的脸距离宝宝的脸不要超过 30 厘米。用温和的语调哄宝宝，例如说"你怎么了？妈妈在这儿呢"，并注意观察宝宝的反应。

看黑白图案

妈妈可以用黑白图案的卡片代替妈妈的脸，给予宝宝视觉上的适当刺激。研究证明，高对比度的黑白图形对这个阶段的宝宝最有吸引力，宝宝喜欢看轮廓鲜明、色度对比强烈的图形。所以，多给宝宝看黑白图案，如棋盘状、葡萄状等，并在离宝宝脸 20 厘米左右处移动，促使宝宝视线适应卡片的移动，从而促进宝宝的视觉追逐能力。

下页的两幅黑白图片可以单独剪下来给宝宝看。

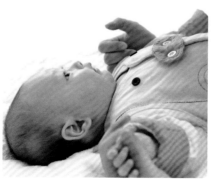

金牌月嫂的育儿经

宝宝大都喜欢红色或色彩鲜艳的物品，因此，爸爸妈妈在与宝宝交流、游戏时，最好穿上漂亮鲜艳的衣服，这样有利于宝宝视觉神经系统的发育。

听的能力

宝宝在妈妈肚子里的时候，他们的听觉能力已经发育得很好了，不仅能区别声音的类型如嗡嗡声或铃声、声音的强弱、声调的高低，甚至已能辨别声音来源的方向。宝宝出生后，爸爸妈妈仍要继续给宝宝听音乐，让他在音乐的潜移默化中，提升智力和情商。

精选早教音乐

宝宝喜欢享受音乐的唯美宁静，享受音乐带来的安定和愉悦，适合宝宝听的歌曲，可以短小活泼，也可以节奏鲜明，更可以轻巧灵动，让宝宝乐在其中。下面我们给出了一些适合小宝宝欣赏的音乐，新妈妈可以有选择地让宝宝聆听。

类型	曲名
外国名曲	魔笛（莫扎特）
	晨曲（格里格）
	糖果仙子（柴科夫斯基）
	春之歌（门德尔松）
	致爱丽丝（贝多芬）
	钟表店（查理·奥尔特）
	摇篮曲（舒伯特）
	月光（德彪西）
中国名曲	茉莉花（江苏民歌）
	牧童短笛（贺绿汀）
	月儿明 风儿静（东北民歌）
	春江花月夜（古曲）
中英文儿歌	Happy New Year
	Teddy Bear
	The ABC Song
	春天在哪里
	蜗牛和黄鹂鸟
	数鸭子

随音乐摇摆

虽然现在宝宝还不能自主地随着音乐摇摆，但是妈妈可以让宝宝身体感受音乐的节奏。在宝宝吃好奶的一个半小时以后或宝宝睡醒半个小时以后，妈妈可以提前播放宝宝爱听的音乐10分钟，再把宝宝放在大床或地板上，开始根据音乐的节奏对宝宝进行从头到脚的按摩游戏；妈妈在给宝宝按摩的时候要注意节奏，每一个身体位置可以停留15秒钟；妈妈可以因宝宝的情绪表现，增加速度，让宝宝感受音乐节奏的快和慢。

金牌月嫂的育儿经

给宝宝听音乐时，以不超过半小时为宜，且曲子不要频繁更换，可以最大程度地增强宝宝的听觉记忆力和音乐欣赏力。可以在规定时间内放特定的曲子，让宝宝形成一定的生活规律，例如早晨醒时放格里格的《晨曲》，晚上睡觉时放德彪西的《月光》。

运动能力

　　新妈妈可能想不到，你的宝宝有许多令人惊叹的运动本领。当父母和宝宝交流时，宝宝会出现与说话节奏相协调的运动，如转头、伸腿等。这些动作虽然简单，却代表着宝宝身体的发展，让父母欣喜异常。

充满母爱的抚触

　　很多妈妈认为月子里的小宝宝大多数时间都处于睡眠状态，让他吃好睡好就万事大吉了。其实并非如此。新生儿刚刚脱离母体，来到一个陌生的环境，更加需要爸爸妈妈的爱抚与亲近。

头部

❶ 用两手拇指从前额中央向两侧移动（沿眉骨）。

❷ 两手掌面从前额发际向上、向后滑动，至后下发际，并停止于两耳乳突（耳垂后）处，轻轻按压。

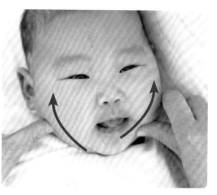

❸ 用两手拇指从下颌中央向外、向上移动（似微笑状）。

腹部

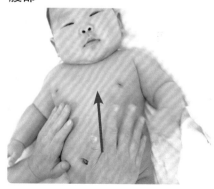

❶ 右手从宝宝腹部的右下侧滑向右上腹（似 I 型）。

❷ 左手从宝宝腹部的右下侧水平滑向右上腹，再滑向左上腹（似 L 型）。

❸ 右手从宝宝腹部右下侧滑向右上腹，再水平滑向左上腹，然后滑向左下腹（似 U 型）。

胸部

两手分别从胸部的外下侧向对侧的外上侧移动（似 X 型），止于肩部。

上肢

双手抓住上肢近端（肩），边挤边滑向远端（手腕），并搓揉大肌肉群及关节。

下肢

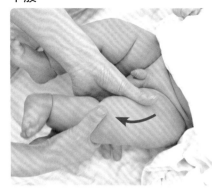

自大腿根部至足踝部轻揉，然后至足底、足背及脚趾。

背部一

宝宝呈俯卧位，自颈部全骶尾部沿脊柱两侧做横向抚触。

背部二

横向抚触之后，再做纵向抚触。

臀部

双手纵向捏宝宝后背的肌肉。

金牌月嫂的育儿经

　　对新生宝宝进行抚触时，必备婴儿润肤乳液、毛巾、尿布以及替换衣物。房间温度应适宜，可放柔和的音乐做背景。一边按摩一边与宝宝说话，进行感情交流。抚触顺序既可以按照从头到脚来进行，也可以按照宝宝喜欢的顺序来进行。

快乐被动操

除了给宝宝爱的抚触之外，妈妈经常给宝宝做个快乐的被动操吧，宝宝最喜欢这种抬手、伸腿的小动作了。

做操前，妈妈要保证居室温度在 28℃左右，室内不要有对流风。剪短宝宝指甲，摘掉宝宝手上饰物，以免划伤新生儿。脱掉宝宝多余衣服，只穿贴身的内衣就可以。

做操时，居室要保持安静，光线要柔和，还可以为新生儿播放一段优美的音乐。妈妈手法一定要轻柔和缓，并始终微笑地注视着新生儿的眼睛，把爱传递给宝宝。每个动作重复 4 遍，做操时间全过程不宜超过 15 分钟。每天做 2 次即可。

扩胸运动	伸展运动	屈腿运动

❶ 握住新生儿的双手，令其双臂屈曲于胸前。

❶ 握住新生儿的双手，上举至头两侧。

❶ 握住新生儿的小腿，令双腿膝关节上抬，并屈曲成 90°。

❷ 再将宝宝双臂打开，平伸于身体两侧。

❷ 双臂慢慢放下至身体两侧。

❷ 双腿慢慢伸直并拢。

抬腿运动

❶ 握住新生儿的小腿，双腿伸直举至与身体呈 90°。

❷ 再慢慢放下，重复 8 次。

转手腕

❶ 一只手握住新生儿的前臂，另一手握住新生儿的手掌，沿顺时针慢慢转动掌心。

❷ 再沿逆时针缓缓转动，然后换手。

> ### 金牌月嫂的育儿经
>
> 做完操后，妈妈要立刻替新生儿换上干净的尿布，穿上做操前脱下的衣服。快乐被动操要避免在新生儿过饥或过饱的状态下进行，最佳时间应选择喂奶后 1 小时左右进行。一旦新生儿哭闹，不愿意继续，要立即停止。
>
> 如果在给宝宝做快乐被动操的时候，发现宝宝特别喜欢其中的某一节运动，妈妈就可适当延长一下做这个运动的时间，让宝宝充分享受其中的快乐。

转脚腕

一只手握住新生儿的一侧小腿，另一只手握住新生儿的脚心，沿逆时针缓缓转动，然后换另一只脚。

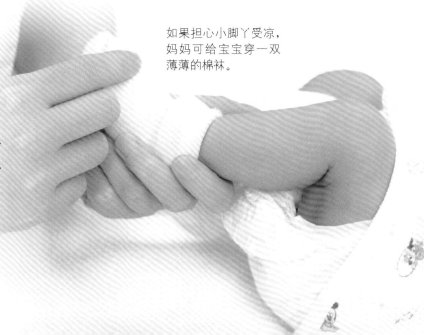

如果担心小脚丫受凉，妈妈可给宝宝穿一双薄薄的棉袜。

宝宝的抬头锻炼

抬头，是宝宝出生后需要学习和练习的第一个大动作。学会抬头，可以使宝宝扩大视野，更好地促进其智能的全面发育。

每次宝宝做抬头练习的时候，妈妈要一边练习一边说："抬头、抬抬头"，增强宝宝动词和动作的关联性。每次做完练习后，要轻抚宝宝的背部，使宝宝肌肉得到放松，感到舒适和愉快，这同样是一种爱的鼓励。

竖抱抬头

妈妈在喂宝宝吃完奶后，竖抱宝宝，让宝宝将头靠在妈妈的肩膀上。为了避免宝宝吐奶，妈妈可以轻轻拍打宝宝背部，让宝宝打嗝。之后抱稳宝宝，手部稍稍离开宝宝头部，让宝宝的头部直立片刻，每天进行四五次，这种训练在宝宝空腹时也可以进行。

伏腹抬头

宝宝空腹时，将他抱在你的胸腹前（与妈妈面对面），然后妈妈慢慢地斜躺或平躺在床上，此时宝宝便自然而然地俯卧在你的腹部。扶宝宝头部至正中，两手放在两侧，逗引其短时间抬头，反复几次。

伏床抬头

宝宝空腹时，俯卧在床上，将其两手放在头两侧，妈妈扶着宝宝的头转向中线，呼唤宝宝的乳名或用拨浪鼓等玩具逗引宝宝抬头片刻，反复几次。

平时练习

平时，父母可以在室内墙上挂一些色彩鲜艳的画或颜色明亮的玩具。当宝宝醒来时，父母把宝宝竖抱起来，让宝宝看看墙上的画及周围的环境。这种方法也可以锻炼宝宝头颈部的肌肉，对抬头训练也有着积极的作用。

金牌月嫂的育儿经

抬头锻炼适合在宝宝快满月的时候进行，每次做完练习后，可让宝宝仰卧在床上休息片刻。宝宝的颈部和背部肌肉还不是特别有力，每次练习的时间不宜过长。

宝宝空腹俯卧床上，妈妈在前方逗引宝宝抬头。

宝宝背向靠在妈妈怀中，也可锻炼宝宝颈部的肌肉。

与外界的交流

　　宝宝一出生，就表现出与外界交流的天赋。新生儿与妈妈对视就是彼此交流的开始。这种交流，对宝宝行为能力的健康发展具有重大而深远的意义。当宝宝哭闹时，父母把宝宝抱在怀里，用亲切的语言和宝宝说话，用疼爱的眼神和宝宝对视，宝宝就会安静下来，而且还会对父母报以微笑，这就是宝宝同外界交流的方式。

我是妈妈

　　当妈妈和新生儿柔声说话时，宝宝会出现不同的表情和动作，就像表演舞蹈一样，或扬眉、或微笑、或伸脚、或举臂，表情愉悦，动作欢快；当妈妈停止说话时，宝宝就会停止动作，两眼凝视着妈妈；当再次说话时，宝宝又变得活跃起来，动作随之增多。

　　妈妈要经常将宝宝抱在怀里，握着宝宝的手，摸妈妈的脸，也可以用宝宝的小脚丫碰碰妈妈的脸，并对宝宝说："宝宝摸摸，我是妈妈。"

　　其实，对于宝宝来说，妈妈是最好的交流对象，宝宝和妈妈交流时，其观察能力和反馈能力远远超过成人的想象，这对宝宝未来的人际交往发展有积极意义。

模仿吐舌

　　宝宝从一出生就开始模仿大人，在学习中形成自我。那么父母要抓住宝宝的这个特性，让宝宝在模仿中成长。

　　妈妈抱起宝宝，在他面前做出张嘴、吐舌或其他各种表情，并用亲切温柔的声音和宝宝"谈话"，让他注意到你的口型和面部表情，逗他学习吐舌。宝宝很享受和妈妈的这种互动交流，因为他能感受和体味到温暖和愉悦的氛围。

看，宝宝吐小舌头的样子多可爱！

母乳喂养记录表

日期：　　年　　月　　日

时间	哺乳乳房		哺乳时长	宝宝情绪
	左边	右边		
：				
：				
：				
：				
：				
：				
：				
：				
：				
：				
：				
：				

尿尿记录　　　　　　　　　　　　　　便便记录

人工喂养记录表

日期：　　年　　月　　日

时间	奶量	宝宝情绪	备注
：	ml		
：	ml		
：	ml		
：	ml		
：	ml		
：	ml		
：	ml		
：	ml		
：	ml		
：	ml		
：	ml		
：	ml		
：	ml		
：	ml		
：	ml		

尿尿记录　　　　　　　　　　　　　　便便记录

宝宝睡眠记录表

月份： 月

	0点	2点	4点	6点	8点	10点	12点	14点	16点	18点	20点	22点	24点
周一													
周二													
周三													
周四													
周五													
周六													
周日													

	0点	2点	4点	6点	8点	10点	12点	14点	16点	18点	20点	22点	24点
周一													
周二													
周三													
周四													
周五													
周六													
周日													

	0点	2点	4点	6点	8点	10点	12点	14点	16点	18点	20点	22点	24点
周一													
周二													
周三													
周四													
周五													
周六													
周日													

	0点	2点	4点	6点	8点	10点	12点	14点	16点	18点	20点	22点	24点
周一													
周二													
周三													
周四													
周五													
周六													
周日													

图书在版编目（CIP）数据

跟金牌月嫂坐月子 / 高子云等主编 . -- 南京：江苏科学技术
出版社，2013.7（2014.6重印）
（汉竹·亲亲乐读系列）
ISBN 978－7－5537－1152－2

Ⅰ.①跟… Ⅱ.①高… Ⅲ.①产褥期－护理②新生儿－护理
Ⅳ.① R714.6 ② R174

中国版本图书馆 CIP 数据核字 (2013) 第 088275 号

凤凰汉竹
阳光一样的生活书

2011年度
中国民营书业实力品牌

2010年度
中国生活图书出版商

跟金牌月嫂坐月子

主　　　编	高子云　许　岚
编　　　著	汉竹
责 任 编 辑	杜　辛　刘玉锋　姚　远　张晓凤
特 邀 编 辑	张　瑜　马立改　张　欢
责 任 校 对	郝慧华
责 任 监 制	曹叶平　方　晨

出 版 发 行	凤凰出版传媒股份有限公司 江苏科学技术出版社
出版社地址	南京市湖南路 1 号 A 楼，邮编：210009
出版社网址	http://www.pspress.cn
经　　　销	凤凰出版传媒股份有限公司
印　　　刷	南京精艺印刷有限公司

开　　　本	715mm×868mm　1/12
印　　　张	15
字　　　数	120千字
版　　　次	2013年7月第1版
印　　　次	2014年6月第6次印刷

标 准 书 号	ISBN 978－7－5537－1152－2
定　　　价	39.80元（附赠月嫂服务技能手册、"坐月子前需要准备这些"挂图）

图书如有印装质量问题，可向我社出版科调换。